VENENOS DE DEUS, REMÉDIOS DO DIABO

Obras do autor na Companhia das Letras

Antes de nascer o mundo
Cada homem é uma raça
A confissão da leoa
Contos do nascer da Terra
E se Obama fosse africano?
Estórias abensonhadas
O fio das missangas
O gato e o escuro
A menina sem palavra
Mulheres de cinzas
Na berma de nenhuma estrada
O outro pé da sereia
Um rio chamado tempo, uma casa chamada terra
Terra sonâmbula
O último voo do flamingo
A varanda do frangipani
Venenos de Deus, remédios do diabo
Vozes anoitecidas

MIA COUTO

Venenos de Deus, remédios do Diabo

As *incuráveis vidas de Vila Cacimba*

6ª reimpressão

Copyright © 2008 by Mia Couto, Editorial Caminho SA, Lisboa

A editora optou por manter a grafia do português de Moçambique

Capa
Alceu Chiesorin Nunes

Ilustração de capa
Angelo Abu

Revisão
Ana Maria Barbosa

Dados Internacionais de Catalogação na Publicação (CIP)
(Câmara Brasileira do Livro, SP, Brasil)

Couto, Mia
   Venenos de Deus, remédios do diabo : as incuráveis vidas de Vila Cacimba / Mia Couto. — São Paulo : Companhia das Letras, 2008.

ISBN 978-85-359-2732-0

1. Romance moçambicano (Português) I. Título.

08-04716   CDD-869.3

Índice para catálogo sistemático:
1. Romances : Literatura moçambicana em português   869.3

[2016]
Todos os direitos desta edição reservados à
EDITORA SCHWARCZ S.A.
Rua Bandeira Paulista, 702, cj. 32
04532-002 — São Paulo — SP
Telefone: (11) 3707-3500
Fax: (11) 3707-3501
www.companhiadasletras.com.br
www.blogdacompanhia.com.br
facebook.com/companhiadasletras
instagram.com/companhiadasletras
twitter.com/cialetras

A imaginação é a memória que enlouqueceu.

Mário Quintana

Capítulo um

O médico Sidónio Rosa encolhe-se para vencer a porta, com respeitos de quem estivesse penetrando num ventre. Está visitando a família de Bartolomeu Sozinho, o mecânico reformado de Vila Cacimba. À porta, a esposa, Dona Munda, não desperdiça palavra, nem despende sorriso. É o visitante quem arredonda o momento, inquirindo:

— *Então, o nosso Bartolomeu está bom?*
— *Está bom para seguir deitado, de vela e missal...*

A voz rouca parece distante, contrariada como se lhe custasse o assunto. O médico acredita não ter entendido. Ele é português, recém-chegado a África. Refaz a questão:

— *Perguntava eu, Dona Munda, sobre o seu marido...*
— *Está muito mal. O sal já está todo espalhado no sangue.*
— *Não é sal, são diabetes.*
— *Ele recusa. Diz que se ele é diabético, eu sou diabólica.*
— *Continuam brigando?*

— *Felizmente, sim. Já não temos outra coisa para fazer. Sabe o que penso, Doutor? A zanga é a nossa jura de amor.*

A dona da casa pára no meio do corredor, ajeita um cacho de cabelos sob o lenço como se aquele tufo capilar fosse o último vestígio da sua sensualidade.

— *Diga-me, Doutor, não será que Bartolomeu foi atacado por essa doença que agora corre pela Vila?*

— *Não, esta é outra doença.*

— *Ainda há pouco passou pela rua um desses homens enlouquecidos, agitando os braços, parecia querer voar.*

— *O posto de saúde está cheio deles, quase todos soldados.*

— *Sabe como o povo os chama? São chamados de tresandarilhos.*

— *Sim, já sabia. É um belo nome: tresandarilhos...*

— *Acha que é uma maldição?*

— *Isso não existe, Dona Munda. As doenças possuem causas objectivas.*

Munda bate à porta do quarto, a fortaleza onde o velho se encerrou e escurece desde há meses. A esposa aguarda pela rabugenta resposta de Bartolomeu. Em vão. Dona Munda não poupa os nós dos dedos e, de novo, golpeia a porta. Cauteloso, o Doutor Sidónio pede-lhe contenção.

— *Se calhar ele está a dormir. Venho mais tarde...*

— *Esse fulano vai acordar.*

Às vezes chama-lhe fulano, outras, reduz o nome do marido para Barto. Agora, rosto espalmado na madeira, a mão de Munda sacode o trinco. Por fim, o homem se faz escutar:

— *Porquê?*

Desde que ali chegou, Sidónio Rosa vem estranhando muita coisa. Por exemplo, agora: a pergunta devia ser "quem é?". Mas Dona Munda já vai anunciando: ela vinha com o Doutor. O homem resmunga: o médico que entrasse sozinho, que a esposa só lhe atrapalhava a pulsação, raios a partissem, com todo o respeito.

Dão tempo. Dona Munda vai traduzindo para o médico português os pastosos sons que vão escoando através da porta. Escuta-se o velho Bartolomeu a erguer-se do cadeirão, lento como lava fria, escutam-se os seus gemidos enquanto se dobra para calçar peúgas. Agora, diz Munda, agora ainda será preciso esperar que ele repuxe as meias até cobrir os joelhos.

— *O seu marido tem tanto cuidado com as peúgas...*
— *Não é cuidado. É vergonha.*
— *Vergonha?*
— *Diz que tem os pés cheios de escamas. As unhas já lhe crescem fora dos dedos...*
— *Ora, Dona Munda...*
— *É ele que diz, não sou eu. O velho diz que o avô dele morreu lagarto, é isso que ele diz...*

Era o que dizia o seu Bartolomeu: que era maleita de família, também ele estava a caminho de se lagartear. A única coisa, porém, que vai rastejando, rente às poeiras, é a sua pobre alma. A esposa resmunga e, depois, suspira:

— *Esse teimoso nunca devia era ter saído do hospital, estava tão bem, lá na cidade.*

Não saiu, fugiu. Tinham-lhe ligado a veia a um soro, dada a sua debilidade. Os alimentos desciam-lhe contra a corrente sanguínea. Para Bartolomeu era o inverso: ele é que estava alimentando o hospital, com os fluidos que lhe extraíam. Esse sangue roubado circulava agora pelo edifício, escorria pelos fundos e se espelhava no vermelhão dos poentes. "O hospital é um lugar doente", reclamava o velho. Ao escapar-se daquele antro ele regressava para os seus antigos recantos. "Eu e a casa sofremos de uma mesma doença: saudades", disse.

— *Foi a melhor coisa que me aconteceu a mim* — lamenta a esposa. — *A melhor coisa foi esse tempo que o teimoso passou no hospital...*

Dona Munda não termina o suspiro: a porta, por fim, se abre no exacto momento em que o português lhe pergunta:

— *E fizeram-lhe exames?*

A resposta é interrompida pela aparição de Bartolomeu. O ex-mecânico é uma sombra esvoaçando no escuro. As mãos dele confirmam a fivela do cinto com receio de que as calças arreiem.

— *Ah, Doutor, é mesmo o senhor... É que essa aí, às vezes, me engana, ela se disfarça só para eu lhe abrir a porta.*

O gesto firme é uma ordem para que a esposa fique fora. Com passo hesitante, Sidónio vai entrando como se os cheiros bafientos ocupassem todo o obscuro quarto. Bartolomeu vai à frente arrastando os pés. Atrás segue a esposa, debicando distâncias. Os passos dele são pequenos: de um chão de prisão. Os passos dela são redondos: de quem anda em ilha.

— *Então, meu amigo, está melhor?*
— *Eu só melhoro quando deixo de ser eu.*
— *Gosto de o ver assim, sempre filósofo.*
— *Desculpe, Doutor Sidonho* — afirma o velho. — *Eu gosto de o ver, mas não gosto que me visite.*

Sidonho é como o nome do português foi apropriado pela Vila. O médico até gostou desse rebaptismo que o torna mais à disposição de ser outro. Com a mesma condescendência, ele sorri agora para o velho enfermo:

— *Ora, estamos pessimistas, hoje?*
— *Então, me diga: qual é a cura da minha doença, Doutor?*

A cura para a doença dele era contrair mais doença ainda, apeteceu-lhe dizer. Mas Sidónio conteve-se e ajeitou a fala:

— *Viver é que não tem cura, caro amigo.*

O velho Bartolomeu vai trocando os pés para esconder um buraco na peúga. Até no morrer ele era minucioso. Um esgar a proteger-lhe os olhos do fumo do cigarro, o reformado mecânico inspira e geme por turnos.

— *Vê estas olheiras? Já são maiores que a cara inteira. É fígado, o fígado já me chega aos olhos.*

O fígado, para ele, não é um órgão. É um fluido que circula pelas entranhas. À porta da morte, a pessoa não passa de um saco de bílis.

— *E depois nunca mais saio deste maldito barco.*

— *Refere-se aos enjoos?*
— *Aos enjoos, a esta porcaria deste balanço, parece que ainda estou na merda do navio.*

O navio era o paquete *Infante D. Henrique*. Durante uma dezena de anos, Bartolomeu Sozinho servira como mecânico na casa das máquinas do transatlântico, atravessando mares no fundo de um porão tão escuro como o seu actual quarto. Tinha sido o único negro a fazer parte da tripulação e disso muito se orgulhava. Depois tudo terminou, o regime colonial se afundou, o navio encalhou, virou sucata e estava, um pouco como ele mesmo, à espera de ser abatido.

— *Eu vejo-o, assim de farda branca, e o Doutor me lembra o comandante do navio...*
— *Ora, esta é uma simples bata de médico.*
— *A sério, até parece que ainda viajo lá no paquete, parece que escuto as águas ondeando...*

Saudades ondeiam, sim, no seu olhar quando enfrenta, na moldura pendurada na parede, a sua desbotada fotografia, perfilado entre cadetes e marinheiros do *Infante D. Henrique*. Suspenso do retrato, um emblema, verde e branco, da Companhia Colonial de Navegação.

— *Doutor Sidonho?*
— *Diga, meu amigo.*
— *Trouxe o remédio?*
— *Que remédio?*

O velho sorri, triste. Descem-lhe as pálpebras enquanto sacode a cabeça. Um suspiro apaga a fronteira entre resignação e paciência.

— *Ora, Doutor, o remédio de pernas, de mamas, de rabo...*
— *Ainda insiste nessa ideia, Bartolomeu?*
— *Essa ideia é que insiste em mim, Doutor, essa ideia é a única coisa que me faz viver.*

E relembra de um jacto, como se temesse que o tempo lhe faltasse. Passara-se assim: ele deixara de sair. Primeiro, de casa. Depois, do quarto. Condenara-se a ele mesmo à prisão do quarto. A rua se foi convertendo numa nação estranha, longínqua, inatingível. Não tardaria que a fala humana lhe surgisse estranha, ininteligível.

— *Eu não sinto, Doutor. Só sento.*

E foi sucedendo que, de tanto sentar esperando, as suas partes baixas foram, como ele mesmo diz, descendo, foram descendo, descendo. Das virilhas baixaram para os joelhos, dos joelhos para os tornozelos.

— *É por isso que não largo as peúgas, as minhas intimidades andam a rasar o chão.*
— *Ora, Bartolomeu, afinal tem medo de quê?*
— *Tenho medo de pisar os tomates...*

Não ri, tosse. O médico, por simpatia, tosse também. Desconfiado, o velho espreita a confirmar a veracidade daquele tossir. Engorda o peito, com fumaças sôfregas, e, de novo, vai pausando palavras, cada frase um gole de ar.

— *Como eu já não saio, Doutor, não pode me encomendar umas miúdas dessas lambuzonas, farfalhosas, redondiças?*
— *Não sei, não sei...*

— *Agora, conforme assisto na TV, há umas pretas loiras, de olhos azuis. Traga-me uma dessas, Doutor.*

Que ele ansiava alvoroçar o coração, solavancar o corpo, esse seu pobre corpo que, mesmo sem substância, lhe pesava, atafulhado de fígado.

— *Traga-me uma qualquer catorzinha, quinzezinha, mas que não fume.*

— *Uma que não fume?*

— *Mulher que fuma, para mim, é homem...*

— *Eu gosto que você continue sonhando, mesmo que seja com impossíveis miúdas.*

— *Estou sonhando em justa causa, Doutor. Porque eu, se não fosse o amor, ou melhor, se não fosse a espera do amor...*

Joelhos juntos, vai olhando os pés como se contemplasse a linha do horizonte. Saudade do tempo em que tinha saúde para desprezar o próprio corpo. Agora pouca convicção lhe resta, mesmo quando se lamenta:

— *Sonhar me deixa muito cansado. Dá um trabalhão danado, sonhar.*

— *Se o senhor não sonhasse, já teria arrumado as ferramentas na caixa.*

As ferramentas estão espalhadas pelo soalho. Ele recusa arrumá-las na devida caixa.

— *Fazem-me companhia* — justifica assim a desordem. Dona Munda tem outra explicação para aquele caos: o marido ainda acredita poder ser chamado de emergência.

— *Cure-me de sonhar, Doutor.*

— Sonhar é uma cura.

— Um sonhadeiro anda por aí, por lonjuras e aventuras, sei lá fazendo o quê e com quem... Não haverá um remédio que me anule o sonho?

O médico ri-se, sacudindo a cabeça. Retira da sacola o estetoscópio, mas o doente, mal pressente a intenção, ergue-se, esquivo. Sidónio deixa escapar o aparelho que tomba entre chaves de fenda, alicates e apetrechos do ex-mecânico. Bartolomeu espreita de lado, com desconfiança de bicho:

— Todos elogiam o sonho, que é o compensar da vida. Mas é o contrário, Doutor. A gente precisa do viver para descansar dos sonhos.

— Sonhar só o faz ficar mais vivo.

— Para quê? Estou cansado de ficar vivo. Ficar vivo não é viver, Doutor.

O médico caminha, pé ante pé, por entre as ferramentas. Recupera o estetoscópio e limpa-o na ponta da bata, alheio ao olhar atento do paciente.

— Para dizer a verdade, o senhor nem devia voltar aqui.

— Não quer que volte?

— É que o senhor entra neste quarto malcheiroso e eu o vejo mais como coveiro do que meu salvador. Aqui, neste leito, eu já vou no meu próprio desfile fúnebre.

As mãos vão-se enrodilhando como se, entre os dedos magros, escondesse uma pomba viva.

— E mais, Doutor: acho que o senhor não tem nada a fazer aqui. Eu vivo tão sozinho que nem doença tenho para me acompanhar.

— *Cabe-me a mim avaliar das suas doenças.*
— *Eu hei-de morrer de nada, só por acabar de viver.*
— *Mas hoje não, hoje não morra que é domingo...*

Sidónio sabe da rotina de Bartolomeu: domingo é dia de janela. A meio da manhã, ele se desamarra do reumatismo, ergue-se arrastoso e se encosta na luz, a contemplar a rua. Meio oculto entre os cortinados, não vê muito, quase que não escuta. Melhor assim: os sons desfocados já não o convocam. Apesar de tudo, vai acenando. De que vale estar à janela se não é para dizer adeus?

Capítulo dois

No ano de 1962, Bartolomeu Sozinho tinha vinte anos. Para ele, irremediável sonhador, aquele foi o ano do barco. Nessa altura, ainda vivia à beira-mar. A dois oceanos de distância, o transatlântico *Infante D. Henrique* iniciava a sua viagem inaugural na chamada rota ultramarina.

Quase um mês depois, em Porto Amélia, hoje rebaptizada Pemba, o navio ficou ao largo, por ausência de cais na cidade. Pequenas lanchas iam e vinham numa azáfama jamais vista naquela baía. Os portugueses desembarcavam encavalitados nas costas de homens negros para não molharem os pés.

Bartolomeu trabalhava na oficina do seu avô, mas, nesse dia, faltou ao serviço. No princípio da manhã ofereceu-se para carregar passageiros e, depois disso, passou o resto da manhã na praia a contemplar o navio. Nunca tinha visto nada que o tivesse fascinado tanto. Aquela era uma criatura híbrida entre água e terra, entre peixe e ave, entre casa e ilha. Passaram horas e o céu escureceu.

No momento em que Bartolomeu decidiu regressar a casa, aconteceu o milagre. As luzes do navio se acenderam e, de súbito, uma cidade emergiu, ainda molhada, do ventre do oceano. Bartolomeu ficou pasmado e, nesse estado arrelampado, balbuciou vezes sem conta a mesma ladainha como se estivesse rezando para um deus ainda por nascer:

— Oxalá esse barco não saia nunca daqui.

Em casa já se tinha jantado e o jovem confessou ao irmão que, ao fim da tarde, em plena praia, lhe descera a visão: o navio era uma ave pernalta e que tinha quebrado as pernas de encontro aos recifes, ao tentar levantar voo da baía de Pemba. O irmão sentenciou:

— *Eu sei o que se passa nessa sua cabecinha. É escusado, mano: você nunca pisará aquele barco. Pé de preto pisa canoa.*

O avô corrigiu. Que ele se enganava. Milhares de negros tinham saído de suas vidas para entrar em navios de longo curso. Durante centenas de anos embarcaram para nunca mais voltar. E repisou, marcando as sílabas com o cachimbo:

— *Não se esqueçam de que fomos escravos.*

— *Quem me dera ser escravo e ir num barco* — murmurou Bartolomeu de modo a que ninguém o escutasse.

Antes de adormecer, ele ainda regressou à janela para ver o navio aceso de encontro às trevas. E, de novo, suplicou:

— *Uma perna! Deus queira que parta uma perna.*

No dia seguinte foi acordado em sobressalto: a súplica resultara. Uma avaria paralisara o paquete. Não tardou que uma lancha desembarcasse na praia, em missão de emergência: necessitavam de apoio de quem soubesse de mecânica. Acontecera o imprevisto: o mecânico principal do navio estava incapaz, delirando em altas febres. A malária atingira também os assistentes. O avô aprontou uma caixa de material e disse para o neto:

— *Venha comigo.*

Bartolomeu entrou no navio como quem desembarca em solo lunar. Olhos embaciados de maravilhamento, pés flutuando sobre a realidade, foi passeando pelo convés enquanto o avô desceu à casa das máquinas.

O jovem olhou a linha de costa e tentou identificar a sua residência, mas o casario, dali, era uma colmeia indistinta e isso lhe trouxe um inesperado desejo de lonjura. O calor arrancava do chão ondulações de ar, como fumos de miragem. E lhe pareceu, de repente, que a Vila ficara submersa em água e que a geografia do mundo se invertera entre oceano e continente.

Todavia, o mar é o habilidoso desenhador de ausências. O balanço do navio fez adormecer o visitador, que se ajeitou num canto do convés. E o jovem Bartolomeu sonhou que a sua aldeia natal se convertia num barco e se lançava no altíssimo mar. E clamava, no alto da proa: "Vejam! Terra de preto virou navio, estamos navegando nos infinitos oceanos!".

Vozes alvoroçadas emergiram do porão e despertaram o miúdo sonhador: um acidente tinha ocorrido na sala das máquinas e o avô tinha-se magoado ao tentar fazer mais do que sabia. Ficou com um braço inutilizado. O médico de bordo tomou conta do caso e decidiu-se que a Companhia Colonial de Navegação assumiria a responsabilidade pelos tratamentos. O avô foi conduzido para Lourenço Marques. E o neto acompanhou-o. No caminho, o comandante engraçou com Bartolomeu Sozinho. Prometeu que lhe daria tecto, escola, metropolitano destino. Foi assim que tudo começou.

Na viagem seguinte, o jovem ajudante de mecânico embarcou e, até ao fim do regime colonial, continuou embarcando. De cada vez que embarcava mais ele se alonjava de si mesmo.

No intervalo das marítimas canseiras, já no sossego da varanda de sua casa, os vizinhos lhe perguntavam:

— *E o mar é grande, Bartolomeu?*

— *Não é que seja tão grande assim. Os continentes é que estão muito afastados* — respondia.

No final da primeira viagem, os familiares lhe confessaram: receberam tão choruda indemnização aquando do acidente com o avô que agora todos rezavam para que ele, Bartolomeu Sozinho, sofresse de um penoso percalço. Foi nesse momento que ele decidiu mudar de terra. Escolheu uma povoação que lhe lembrava a visão enevoada da costa quando espreitava do convés. Escolheu Vila Cacimba.

Capítulo três

— *Olho para a rua e, tantas vezes, vejo o mar.*
Bartolomeu acena vagamente para nada antes de fechar a cortina e recolher-se na penumbra do quarto.
— *Não vê o mar porque não quer.*
— *Estou doente.*
— *Eu é que sei da sua saúde. Você devia aceitar a minha sugestão de ir à costa, eu ia consigo...*
— *Não saio de casa, o Doutor sabe...*
— *Eu sei, mas não percebo.*
— *Só saio daqui se esta casa sair junto comigo.*
Depois de tantos anos, deixamos de viver na casa e passamos a ser a casa onde vivemos.
— *É como se as paredes nos vestissem a alma* — diz o velho repartindo o fôlego entre a fala e o esforço de se sentar na berma da cama.
Assim fica, pasmado, mastigando lembranças. "Deve escutar o mar", pensa o português. E guarda um respeitoso silêncio enquanto Bartolomeu vai teclando o indicador da mão direita sobre os dedos da mão esquerda. Depois, o reformado mecânico murmura baixinho:

— *Sete.*
— *Como diz?* — pergunta o médico.
— *Foram sete viagens...*
— *Agora, fazia mais uma viagem, rápida. E via o mar, essa minha outra casa...*
— *Foram sete, sem contar com outras vezes que fugi de casa.*
— *Fugiu de casa?!*
— *Mas isso foram outros barcos...*
— *Como assim?*
— *Fugi com mulheres, acho que foram sete vezes, também...*

Volta a contar pelos dedos, demorando-se em cada falange, entretido em cada lembrança. Suspende a contagem, os dedos deformados, espetados na vertical.

— *Minhas mãos já estão noutra estação do ano. Veja como estão frias...*

O médico toca-lhe os dedos. Ficam assim, mão na mão, um tempo. Não é por afecto: o médico aproveita para lhe contar a pulsação. O velho quase adormece. Conforme ele mesmo diz: "A velhice é assim, faz noite a qualquer hora".

Nos reais tempos nocturnos, o mecânico é atacado por insónias, acaloradas friagens, frígidas febres. Medo de fechar os olhos, medo de desligar a televisão, esse ecrã para onde ele transfere os trabalhosos sonhos.

— *Essa máquina é porreira, Doutor, ela sonha por mim, me alivia dessa canseira de sonhar.*

— *Gostaria de o auscultar, Bartolomeu. Sei que não gosta mas...*
— *Não gosto que o senhor me mande respirar. Não é coisa que se mande alguém fazer.*
— *Era para escutar os seus pulmões, o coração...*
— *Não é o coração que ainda me prende. A minha âncora é outra.*
— *Aposto que é o sonho.*
— *É a lembrança. Minha esposa ainda se lembra de mim. É o esquecimento e não a morte que nos faz ficar fora da vida.*
— *Sua esposa se lembra. E sua filha também...*
— *Ah, Deolinda. Essa sim, ela se lembra de mim.*

Ajeita a colcha para que as margens se ajustem ao chão. Ele sabe: por baixo da cama é que dormem os fantasmas. Os fantasmas e a caixa de ferramentas.

— *Não gosto de respirar nesse seu aparelho. Eu só vou dar o último suspiro depois de morrer.*

No final da visita, repete-se o previsto: o doente faz deslizar um maço de envelopes na pasta do médico. Eram mais cartas. Que ele queria ver depositadas nos Correios. Sidónio confere os endereços e soletra as palavras garatujadas nos envelopes.

— *Não vale a pena espreitar, Doutor, que eu escrevo como o polvo, uso tinta para me tornar invisível.*
— *Não espreito. Apenas reparo que uma destas cartas está endereçada para a Companhia Colonial de Navegação. Mas esta companhia não deixou de existir?*
— *Há-de haver uma outra companhia, talvez a Neocolonial de Navegação, não sei...*

— *Bom, eu meto nos Correios e a carta vai para este endereço, é o que posso fazer.*
— *Mas uma coisa lhe peço: tenha cuidado... não mostre nem fale nada ao Administrador.*
— *Esteja tranquilo.*
— *Tenho medo desse Alfredo Suacelência.*
— *Não sei porquê!?*
— *Pois, esse filho da puta odeia o meu passado, diz que são nostalgias coloniais...*

O Administrador fazia pouco das suas glórias marítimas. Quando Bartolomeu desembarcava do *Infante D. Henrique*, as pessoas olhavam-no como um herói que vencera horizontes. Suacelência minimizava-lhe os feitos dizendo: "Ora, esses colonos precisavam de um preto decorativo". Não era por méritos próprios que o mecânico negro seguia no navio. Ele era tripulante apenas como instrumento de uma mentira: de que não havia racismo no império lusitano.

— *Decorativo é a puta que o pariu.*
— *Calma, Bartolomeu. Não vale a pena o alvoroço, o Administrador nem está aqui.*
— *O que o gajo tem é inveja... Vou-lhe mostrar uma coisa, espere...*

A custo, abre um gavetão no guarda-fatos. Um cheiro a naftalina se espalha quando ele retira uma bandeira verde às riscas brancas.

— *Suacelência pediu-me, de joelhos, esta bandeira.*
— *De joelhos?*
— *Pensava que era uma bandeira do Sporting.*

— E não é?
— É da Companhia Colonial de Navegação. Do Sporting é ele, esse satanhoco do Administrador.

Suacelência sofria de inconfessável inveja de um passado que não lhe abrira nenhuma porta. Pois vivia um presente em que, apesar da farda, ele não era porteiro de nada.

— Saudades do colonialismo coisa nenhuma! Eu tenho saudade é de mim mesmo, saudade de Deolinda, minha filha... Diga-me uma coisa: você nunca chegou a conhecer minha filha Deolinda?

— Nunca — mentiu Sidónio.

— Sabe, Doutor: eu que sou pai, nem sempre a conheci.

Foi vendo a filha crescer, surpreendendo-se como ela se foi amulherando, de viagem para viagem, menos menina, menos filha, menos sua. Nova estada em casa, novos afectos, novas partidas, novas surpresas. E assim por aí fora.

— Essa vida do barco fez de mim uma ave de migrações trocadas. Já não sabia se estava indo, se estava vindo.

De tanto ir e vir, ele já trocava partida por destino. De tanto viver no mar, ele já perdera pátria em terra. Já não era de nenhum lugar. De uma onda, desfeita em espuma: era essa a sua pertença.

— Não esqueça de enviar essas cartas, Doutor.
— Assim farei, esteja tranquilo.
— As cartas, as cartas são o único barco que me restou...

— *Olhe que eu aqui, tão longe de Portugal, não espero que ninguém me escreva.*

Com o mecânico tinha sido ao contrário: a vida se caligrafara, linha após linha. Mesmo com esta mulher, a sua actual e vigente Munda, mesmo com ela fora tudo oficialmente registado, o pedido, o abre-boca,* o noivado. Ainda agora, sempre que olhava um papel escrito, lhe vinha à boca o sabor da paixão, o doce aroma do namoro. E até a receita médica em cima da cabeceira lhe surgia como mais uma carta de amor. Era apenas por isso que ele não rasgava a desempregada prescrição.

O médico arruma o estetoscópio e os restantes apetrechos que nem chegou a usar. Cuida de separar os seus utensílios das reformadas ferramentas de Bartolomeu. No limiar da porta, o velho mecânico interrompe-lhe a saída:

— *A propósito, Doutor, afinal eu pago ou me apago?*
— *Não entendo.*
— *Falo de pagamento das consultas, das suas visitas. A minha mulher diz que o senhor tem sido pago. Eu não sei de nada...*

O médico se atrapalha, finge olhar o corredor que conduz para a saída. Parece que chove, lá fora. Para ele, pelo menos, o mundo vai-se convertendo numa aquosa tela.

---

* *Abre-boca*: valor monetário ou em géneros que a família do noivo paga à família da noiva como primeiro sinal para se iniciar o processo do dote (ou *lobolo*, em várias línguas de Moçambique).

Capítulo quatro

A esposa, Dona Munda, espera no corredor. A obediência está escrita na curva das suas costas. Contudo, há na sua voz um travo de impaciência:
— *Eu não disse?*
— *Nem me deixou auscultar...*
— *O senhor estudou doenças. Eu aprendi foi na doença.*
— *O sofrimento é sempre a nossa escola maior.*
— *Não falo disso. Falo desse homem, ele é que foi a minha doença, Doutor Sidonho.*

Mais nova, escutava as outras lamentarem-se do destino, elas que estavam na flor da idade. Nunca lhe doeu tanto uma inveja. Porque, a ela, nenhuma idade tinha sido de flores. Amarelecida a idade, esbateu-se o sonho de ser pétala, simples lembrança da fragrância.

— *Veja o que esse estupor me fez, deu-me cabo da idade, agora sofro de rugas até na alma.*
— *Você ainda é muito bonita, Dona Munda.*
— *Deixe esses elogios para a minha filha Deolinda.*

Dona Munda tem cinquenta anos. Sabe a idade. Mas não parece ter a certeza de estar viva. Certa está da sua antecipada viuvez. Na Vila a conhecem por "semiviúva". Daí a casa sempre obscura. O luto já arrumado poupa nas improvisadas urgências: está-se antecipando o desevento. E não é a opinião contrária do médico que lhe rouba a certeza: o marido não tardaria a definitivar-se.

— *Bartolomeu falou de pagamentos. Ele sabe de alguma coisa?*

— *O fulano nunca sabe nada. Quem não sabe de nada sempre desconfia de tudo.*

— *Eu já disse, Dona Munda, o que eu faço aqui, convosco, não é um serviço. Não quero ouvir falar em pagar.*

— *Agora, o fulano começou com a mania que eu tenho de parar com o meu trabalho de lavadeira.*

Desde há muito que Munda ganhava a vida lavando roupa para o pequeno hospital da Vila. Mas agora, que eclodira a epidemia, o marido se opõe a que roupa contaminada dos tresandarilhos entre no quintal de sua casa. Não importa que esses lençóis venham já desinfectados.

— *Você sabe do que falo, Mundinha* — argumentou Bartolomeu. — *Desinfectam-se micróbios. Não se desinfectam espíritos...*

A ordem acabou sendo negociada: a esposa lavaria apenas a roupa que não provinha da enfermaria onde os tresandarilhos estavam confinados.

— *Veja as minhas mãos, Doutor Sidónio. Acha que estão doentes, as minhas mãos:*

O médico contempla a mulher e avalia das suas parecenças com a filha, Deolinda. Dona Munda é mulata. Na região não se conhece uma outra mestiça que tenha casado com um negro. Ela deu o passo com coragem. Teve que romper com a família que a acusou de "fazer a raça andar para trás". Bartolomeu Sozinho também foi obrigado a cortar laços com os seus. Trazer uma mulata para o seio familiar era uma ousadia, mais que isso: uma traição. "Mas ela é quase negra", ainda argumentou. "Os mulatos são pretos só quando lhes convém", foi a resposta.

No dia em que o jovem Bartolomeu Sozinho, envergando o melhor fato do seu melhor amigo, se apresentou perante a família da noiva, ele proclamou com solenidade:

— *Não sou preto!*
— *Então?*
— *Sou extremamente mulato.*

Apesar de tudo, a chamada raça, ao contrário das previsões, não tinha "retrocedido". Deolinda era de pele clara, mais clara que a própria mãe. Para não falar dos tons de pele que se ocultam nas resguardadas partes do corpo.

— *É verdade, ela é toda muito clarinha* — confirma Sidónio.

— *Como sabe?*

— *Sou médico, não esqueça, Dona Munda* — responde sem pestanejar.

Rapidamente dá outro rumo à conversa:

— *A propósito, fiquei com a impressão de que o nosso Bartolomeu está bem mais humorado, bem mais desperto.*

— *O fulano* — é assim que refere o marido —, *o fulano continua a paspalhar-se na janela para as meninas...*

No fundo, sente pena dele. Desde há anos que Bartolomeu se babuja a contemplar as meninas da rua. Um dia, quando abrisse a porta e lhe surgisse uma moça de vistosas carnes, o fulano quedaria petrificado.

— *Homem que baba não morde.*

Esse antecipado falhanço tem, para ela, um sabor de vitória. O médico sente nesse vaticínio a consumação de antiga vingança.

Sidónio encosta o guarda-chuva a um canto para depois seguir a dona da casa até à cozinha. O objecto, para ele corriqueiro, é estranho naquele contexto. Ali ninguém se proteje da chuva. Espera-se simplesmente que a chuva passe. Na Vila só existe o guarda-sol. Vale a pena abrigar-se do astro rei nos dias límpidos. Não vale a pena esperar é que o nevoeiro passe nas manhãs que nascem sombrias. A neblina — que deu o nome à Vila — é a fuligem das nuvens. E em nenhum outro lugar do mundo há tanta nuvem ardendo.

— *É verdade que o seu marido saiu sete vezes de casa?*

— *Eu não conto as saídas. Conto só as vezes que ele voltou...*

— *Está certo.*

— *E lhe digo, Doutor: não fiquei a perder. Porque ele voltou mais vezes do que saiu.*

— *Bom, há maneiras curiosas de fazer contas...*

— *Para mim, o meu marido me chegou sempre multiplicado...*
Enche a peneira de arroz. Vai catando os grãos, com a lentidão de uma carícia. Escuta-se o ribombar de um trovão, as cigarras suspendem o canto. O silêncio, num segundo, fica maior que a savana. Depois, aos poucos, os insectos regressam ao estridente concerto.
— *Desculpe a curiosidade, são motivos profissionais, mas nessas sete saídas não houve registo de doenças que ele tivesse apanhado?*
— *Ele partia já doente, o partir era mesmo a doença dele.*
— *Mas com essas outras mulheres...*
— *Outras mulheres? Quem disse que havia outras mulheres?*
— *Mas, então, ele não saiu de casa?*
— *Saiu por outras razões. Existem outros motivos neste mundo, nem sempre são mulheres...*
— *Desculpe, Dona Munda, não me intrometo nessas coisas. Mas eu sou médico, preciso saber de doenças passadas. Incluindo, devo dizer, as doenças venéreas.*
— *Meu marido sempre me foi fiel. Ele dormiu com outras mas nunca me traiu.*
— *Desculpe, não entendo.*
— *Quando ele foi infiel, eu fui infiel junto com ele.*
— *Continuo sem entender.*
Estratégia que ela congeminara para pastorear os devaneios sexuais do seu companheiro. De noite, o homem já dormido, ela lhe sussurava ao ouvido maliciosos convites, disfarçando a voz, fazendo-se passar

por outras mulheres. E o incitava com picanterias, jogos de apimentar o nervo e arrepiar as carnes. Fazia isso para que ele sonhasse livremente com as mais diversas amantes. E se contentasse assim, basto e bastante, nos sonhos. No real da vida, o marido se guardava só para ela.

— *Ele foi infiel, sim. Mas só com as inexistentes.*
— *Agora, entendo.*
— *Eu fui, sempre, as putas dele.*
— *Esperteza sua, Dona Munda. Tiro-lhe o chapéu.*

O sorriso ralo é, em seu rosto, o florescer do capim. Nenhum orgulho, nenhuma bandeira de vaidade.

— *Me putifiquei tanto, Doutor* — vai repetindo. Mas não é um lamento. Simples constatação. E suspira, em conclusão: — *Para a mulher há dois momentos felizes na cama: o primeiro, quando o homem se atira para cima dela, e o segundo, quando o homem sai de cima dela.*

Faz saltar o arroz na peneira para separar as impurezas. Depois, vence-se a si mesma, para chegar à confidência:

— *Posso dizer uma coisa, Doutor? Essas vezes que fui puta, foram os meus únicos momentos de prazer.*

Esse tempo, porém, teve fim. Agora, já nem esposa nem puta. Há anos que o casal se apartou, cada qual em seu quarto, cada qual em seu sonho.

— *Agora, somos como o dedo e o anel: não nos fazemos falta, mas não vivemos longe um do outro.*

Parece aceitar o peso do destino. Ao menos, no final de tanta ingloriosa batalha, lhe resta esse único despojo de guerra: a culpa. No resto, Mundinha partilha a condição das demais mulheres da Vila: envergonhada de ter nascido, temente de viver e triste por não saber morrer.

— *Posso perguntar-lhe uma coisa? Por que razão vocês passaram a dormir separados?*

— *A vida é um rio, Doutor: a água junta e separa.*

— *Você é feliz, Dona Munda?*

— *Não é que seja infeliz. Eu não sou é feliz.*

E explica: a ausência dupla de felicidade e infelicidade é ainda mais penosa que o sofrimento. O verdadeiro castigo não é o inferno com as suas chamas devoradoras. A punição maior é o purgatório eterno.

— *Uma coisa aprendi na vida. Quem tem medo da infelicidade nunca chega a ser feliz.*

E sorri, acariciada não se sabe por que lembrança. Depois sacode a cabeça, apoia o braço no joelho para se erguer. Por fim, enfrenta o médico olhos nos olhos.

— *Fora isso, Doutor, agora vamos ao assunto próprio.*

— *Que assunto?*

— *Trouxe o remédio?*

— *Que remédio? O seu marido já não precisa de mais nada.*

— *Oh, Doutor, já esqueceu? Eu quero um remédio para ele ficar pior, um remédio para ele ficar pioríssimo... para ele... bom, já disse...*

O médico português rodopia pela sala, a conversa passou, de súbito, a sofrer de um insuportável peso.

— Esqueça isso. Comigo não, Dona Munda, eu sou médico, curo pessoas...

— Pois cure-me a mim. Bartolomeu está tão doentíssimo, ele já é mais doença que pessoa.

— Sou médico...

— Ele está doente mas sou eu quem sofre as dores dele. Sempre fui. Não quero mais.

Munda deposita a peneira no chão para rodear, com sofreguidão, as mãos do médico. Ainda há pouco era o velho Bartolomeu Sozinho que lhe apertava os dedos como se quisesse aprisionar a alma do visitante. Agora é a esposa que suplica por uma morte tão limpa e leve que nem arranhão causaria na memória. Que aquilo não era imoralidade nenhuma. No fundo o marido já estava falecido, o remédio era só para ele, Bartolomeu, se lembrar de que estava morto.

Com gestos bruscos, Sidónio se liberta das mãos dela. Ao erguer-se, ele tropeça na peneira e o arroz se espalha pelo chão. O médico, atabalhoado, se desculpa e, com passo célere, se afasta, rua afora.

A porta de rede fica batendo como se prolongasse a insistência de Munda:

— *Não esqueça, Doutor Sidonho. Não esqueça do remédio.*

Capítulo cinco

Dona Munda sopra impaciências, agitando um leque de palha junto ao rosto. Não é o calor que ela enxota. É o ar empestado do posto de saúde, o fétido aroma da doença. Passa cautelosamente entre os doentes, prostrados no chão, encostados nas paredes. Nunca ela viu o posto de saúde tão atafulhado de gente.

A epidemia que atingiu Cacimba está-se alastrando. Mais e mais pessoas são atacadas de febres, delírios e convulsões. O português recém-chegado é o único médico e não está dando conta da situação. Quem sabe a enfermidade é de outra ordem que escapa às ciências? Para afastar essa nebulosa natureza do surto, Dona Munda sacode o ar com o nervoso leque. Depois, espreita por uma janela interior e vê o médico Sidónio Rosa tratando de uma criança.

"Todo o médico tem um pouco de mãe", pensa ela olhando o gesto em concha com que o português segura o menino doente.

Recorda-se do dia em que Sidónio chegou à Vila e ela o viu desembarcando no apeadeiro dos chapas. Seguiu à distância o homem branco, qualquer coisa lhe dizia que aquele estranho chegara a Vila Cacimba por uma razão que a envolvia. À entrada do posto de saúde, os olhares de Munda e do forasteiro se cruzaram tão intensamente que ela, timidamente, o saudou. Após hesitação, o português dirigiu-se-lhe:

— *Procuro pela senhora Munda Sozinho.*
— *Sou eu mesma.*
— *Sou médico, venho cumprir uma missão no posto de saúde da Vila.*
— *Não diga que é um desses, das organizações sem governo?*
— *Na realidade, venho por causa de sua filha, Deolinda. Conhecemo-nos o ano passado em Portugal.*

Por instantes, Dona Munda permaneceu calada. Ajeitou o lenço na cabeça como se buscasse conforto para a pergunta que, a um tempo, temia e ansiava fazer.

— *Vem buscar a minha filha?*

Os olhos dela marejaram, palpitaram as espessas pestanas.

— *Venho vê-la* — disse o estranho. — *Nós tivemos um caso.*
— *Um caso?*

Tinham namorado durante um congresso em que Deolinda tinha participado em Portugal. Parecia uma coisa passageira. Que o amor acontece para a gente desacontecer. Mas depois se viu que era mais que uma lembrança teimosa. E fizeram durar correspondência, deixaram crescer juras e promessas. Até que, subitamente, Deolinda deixou de responder às cartas. Desde então, o médico avaliou desejos, pesou saudades.

E percebeu que sofria pela medida incerta. Meteu a existência numa mala, tratou dos papéis e dinheiros e rumou para a terra da sua amada.

— *Eu preciso ver Deolinda, não consigo ficar mais tempo sem a ver.*

— *O senhor não sabe que Deolinda não está?*

— *Não está?*

— *Ela foi para fora.*

— *De vez?*

— *Como?*

— *Pergunto se saiu definitivamente.*

— *Ela volta logo. Mais uns dias e está de volta.*

Nesse primeiro encontro, Dona Munda abandonou o posto de saúde fazendo repetidamente o sinal da cruz e rezando até entrar em casa. Depois disso, nunca mais ali regressou. Era o médico que ia a sua casa e, de facto, fazia-o todos os dias com religiosa assiduidade.

Tinham-se passado semanas, tempo suficiente para que Munda soubesse que certos assuntos deviam ser tratados longe de casa. É por isso que ela aguarda no posto, impaciente, espreitando, de quando em quando, a janela interior por onde se vislumbra o gabinete do médico.

Por fim, Sidónio assoma ao corredor, caminha apressado enquanto se vai libertando da bata. Pára, surpreso, ao deparar com a visitante.

— *Dona Munda? Passa-se alguma coisa com Bartolomeu?*

Havia ali muita gente, demasiada parede. Munda

chama-o à parte, enrosca-se sobre si mesma, retira algo da dobra da capulana:
— *Chegou outra carta.*
— *De Deolinda?*
— *De quem mais poderia ser?*
O médico deixa de se vigiar: a bata tomba no chão, os braços em riste suplicam. De modo furtivo, a mulher lhe entrega o envelope.
— *Não abra aqui... lei... leia depois, Doutor.*
Nervosa, ela gagueja. Remenda as falas, pisa as sílabas para subir às palavras.
— *Tenho medo que o Bartolomeu apareça.*
— *Aqui? Ele não sai nunca de casa.*
Sidónio abre o sobrescrito, os seus olhos devoram as palavras da bem-amada. A Vila não tem comunicação telefónica e Deolinda está longe, num paradeiro que ele desconhece, participando num curso de capacitação. A mãe não sabe onde, nem de quê.
— *Ai, desgraça de ser mãe, pobreza maior seria não ter filhos!* — comenta ao mesmo tempo que apanha do chão o envelope rasgado.
— *O que ela diz, Doutor? O que diz a minha filha?*
— *Diz que é capaz de chegar mais cedo.*
Ambos suspiram de alívio. A chegada de Deolinda foi sendo objecto de adiamentos sucessivos. Primeiro, houve uma inesperada demora no início do curso, depois anunciaram um estágio adicional, e, por fim, acrescentaram imprevistos testes práticos.
— *E que diz mais a minha filha?*
— *Pede um televisor novo para si, Dona Munda.*

— *Um televisor? Para mim? Ora, essa Deolinda me envergonha. Já temos um aparelho em casa.*
— *Mas está fechado no quarto de Bartolomeu.*

Vantagem inglória essa, pois o marido reclama que a televisão é tão antiga que a imagem emitida lá da capital demora cinco dias a chegar. O médico, sorridente, vai esticando simpatias:

— *Vou comprar um televisor, ou por outra, vou comprar dois...*
— *Ora, o senhor já nos deu tanta coisa.*

Além disso, para o Bartolomeu já nem valia a pena, ele liga o aparelho e se desliga a ele, nem segundos depois já ressona.

— *Mas o que a sua filha verdadeiramente me pede não são coisas. Ela quer que eu vos deixe bem, amorosos e juntinhos...*
— *Isso é impossível!*

O médico lê textualmente as palavras de Deolinda: "... quero os meus pais felizes, como um casal exemplar, para abençoarem o nosso casamento, lá na capital".

— *Deolinda sonha. Esse fulano, pai dela, nunca mais vai sair do quarto. Irei eu, sozinha, à festa. Sempre fui eu, sozinha, que cuidei dela...*
— *Nada disso. Irão os dois, como manda a tradição, que eu vou tratar para que tudo seja assim.*
— *Posso ver a carta, Doutor?*
— *Sim, eu já a li.*
— *Posso ficar com ela?*

Sidónio ia perguntar para quê, mas conteve-se. Invoca, antes, receios de quebra de sigilo:

— *Bartolomeu não pode saber. Coitado, ele está tão longe de imaginar o que se passa entre mim e a filha.*

A mãe passa os dedos pelo papel como se penteasse as linhas do manuscrito. O indicador decifra, letra por letra, um qualquer código oculto, um mapa desenhado sobre o seu coração.

— *Esta letrinha, Doutor, é a mesma de quando ela era menina.*

Embala a carta de encontro ao peito como se fosse uma criatura de colo.

— *Se me der esta carta, eu irei sonhar com a minha filha...*

Indeciso, o português vai roendo os lábios. A mãe contempla intensamente o rosto do estrangeiro. O médico sabe de doenças. E pressente o tamanho da saudade de mãe.

— *Tenho apenas receio de que a carta seja uma fonte de tristezas.*

— *Não se preocupe, Doutor. O meu chorar é feito à medida do lenço.*

Ele, então, lhe estende a carta. Ela roda em torno de si mesma, a palavra de gratidão só pode ser dita com todo o corpo. Dona Munda dança. O médico Sidónio Rosa desconhece que, nessa mesma noite, ao nascer das estrelas, ela abrirá a porta da varanda e ali ficará a conversar com os ausentes. E se demorará em infinitos desajustes de contas com o destino. O médico desconhece que, naquele escuro, tudo é caminho. Por um desses caminhos Deolinda virá chegando. Chegará pela mão de um deus sem céu, e se sentará na cadeira que ninguém ocupou desde que ela saíra.

Munda beija repetidamente o envelope. Depois dobra-o para o acamar por dentro do soutien.

— O senhor tem sorte, Doutor. A minha filha nunca me escreveu a mim.

— Para dizer a verdade, Dona Munda, eu ando desconfiado.

— Como desconfiado?

— Deolinda não me está dizendo toda a verdade. Esses adiamentos consecutivos... E por que razão ela não diz onde está?

— Você não entende, não tem a ver consigo. É um problema com o velho pai dela.

— Com o pai?

— A minha filha está adiando o regresso por ter medo de encontrar o pai doente, assim, já com as pernas todas para a cova. É dele que ela está fugindo.

— Não sei, não sei...

— Sei eu, que sou mãe. Deolinda ama demais o pai para o ver assim...

— Pois diga-lhe que pode vir, que eu vou pôr o velho Bartolomeu são que nem um pero.

— Não entendo, Doutor.

— É uma forma de expressão.

— As formas de expressão usam-se quando se tem medo de dizer a verdade. Desculpe a sinceridade, Doutor Sidonho, mas é o que eu penso.

São interrompidos por ruídos e gritos no exterior. Primeiro, surge como um alvoroço indistinto, parece uma rebelião popular. Depois, constatam tratar-se de uma banda de cornetas e tambores que se aproxima pelo centro da rua, encabeçando um desfile de populares com dísticos e bandeiras. É uma marcha de propaganda eleitoral.

— *Lá estão aqueles... cambada de mentirosos!* — resmunga Munda.

— *Por amor de Deus, fale baixo.*

Dona Munda faz estalar a língua em desagrado e, depois, prossegue no mesmo tom.

— *À frente, é claro, vem o patrão dos mentirosos, o senhor Administrador.*

O médico faz uma vénia à passagem do cortejo. Saúda Alfredo Suacelência, o vitalício administrador que acena para ele e, depois, sorridente, aponta para a bandeira no topo do mastro. Ainda a semana passada, o chefe da Vila o tinha visitado no consultório. Arrastara a cadeira e se escarrapachara com um amolecer de pernas que só a um mandador se autoriza. O lenço não tinha descanso, enxugando o pescoço e o rosto. E falou, entre a súplica e a ordem:

— *Quero um remédio, Doutor.*

— *Um remédio? Pode ser mais específico?*

Não era, como pensou o clínico, um afrodisíaco. Solicitava um produto para a eliminação radical da transpiração. Não um desodorizante: um anulador definitivo de suores. Ele queria-se desglandular.

— *O suor é um defeito dos pobres. E nós, meu caro Doutor, estamos a combater a pobreza, não é verdade?*

O Doutor que o livrasse daquela tão plebeia tendência. Que ele, ainda há pouco, por lamentável lapso se havia enxugado na bandeira nacional.

— *Veja bem o senhor: limpei a cara à nossa sagrada bandeira!*

Os adjectivos eram a doença da fala do Chefe. Ele não dizia: "a nossa Vila"; dizia: "a nossa resplandecente e verdejante Vila", por mais que o verde estivesse ausente da paisagem. Nunca dizia: "o país"; dizia: "a nossa esplendorosa Pátria idolatrada". Com receio de parecer parcimonioso na linguagem, o médico passou a rechear de adjectivos o seu discurso. Do mesmo modo como agora, perante o desfile, sorri e acena enfaticamente para quem passa.

— *O Doutor me desculpe* — resmunga Munda —, *mas o senhor lhe dá demasiadas confianças.*

Por exemplo, Suacelência ordena que o posto de saúde seja encerrado ao público sempre que ele faz uso dos seus serviços. E o médico aceita, complacente. Como se cala perante as evidências que Suacelência desvia do armazém comida, medicamentos, combustível, lençóis, colchões. O português aceita que é demasiado complacente. Mas ele não sabe como reagir perante um universo feito de empresários sem empresa e de funcionários públicos que apenas desempenham funções privadas.

Aos poucos, a tranquilidade regressa e, paulatinamente, a Vila se refaz da ruidosa incursão. Diz-se que o silêncio inspira medo porque, nesse vazio, ninguém é dono de nada. Talvez por isso o médico se apresse a retomar o diálogo:

— Por que não dizemos ao seu marido?
— Dizemos o quê?
— Tudo, eu e Deolinda...
— Nem pensar, Bartolomeu nunca aceitaria.
— Mas porquê? Por eu ser branco?
— Não é isso. O meu marido tem uma relação muito estranha com a filha.
— Talvez por ser a vossa única filha.
— Todos os filhos são sempre únicos.

Uns jovens com tambores passam correndo para se juntarem ao carro alegórico. Estão atrasados, ficaram a urinar junto à grande acácia da praça. Acenam para o médico e regressam apressadamente para retomar o toque dos tambores.

— Ouça, Doutor, eu vou que já se faz tarde.
— Eu acompanho-a.
— Não, deixe-se estar. Aqui nenhum homem acompanha uma mulher que não queira como sua.
— Eu sou médico, sou estrangeiro.

Munda ainda insiste na recusa, mas já ele lhe toma o braço, sugerindo que inicie a marcha. Ela começa a caminhar e, subtilmente, se esquiva do braço dele, evitando proximidades.

— Só queria que o senhor ficasse com uma certeza: eu não preciso de nada...
— Eu sei.
— Não quero que o senhor me dê nenhuma dessas coisas que Deolinda passa a vida a encomendar.
— Eu sei, Dona Munda.
— Se a minha filha tivesse outra cabeça, se a vida

dela fosse outra, eu é que pediria ao senhor Doutor. Mas não, deixe estar, não vou falar...
— *Fale à vontade, Dona Munda. Peça o que quiser.*
— *Eu pediria que a levasse daqui, Doutor, levasse a minha filha daqui para fora.*

Que aquela terra era, segundo ela, um barco incendiado: ou morriam na água ou acabariam devorados pelas chamas.

— *A sua filha não quer sair do país.*
— *A minha filha não sabe o que quer. É por isso que ela está sempre a pedir: porque não sabe o que quer...*

Quem pede sempre, não sabe querer. É isso que Munda pensa da filha e dos demais que só não têm cansaço para mendigar.

— *Ainda tenho uma dúvida, Dona Munda.*
— *O que quer saber, Doutor?*
— *Quem são esses misteriosos mensageiros que trazem as cartas de Deolinda? Quem são eles que ninguém os vê?*
— *O senhor quer saber muito, Doutor. São familiares. O senhor sabe, aqui, em África, todos são familiares.*

Vadios, os olhos dela inventam o nada. Sidónio entende: o assunto não tinha mais matéria. Despedem-se. O médico nunca foi para além de um aperto de mão. Dona Munda é a futura sogra. Por isso, Sidónio estranha quando ela, em meio sorriso, lhe diz:

— *Pode despedir-se como faz com Deolinda.*

O médico refaz-se, lento, da supresa e beija-a na face.

— *A sua barba arranha.*

Ele passa a mão pelo rosto como se tivesse cometido um deslize de educação.

— *Diga-me Doutor: Deolinda também se queixa?*

Dona Munda se vai afastando e o médico acredita ver no seu passo um requebro malandro. Volta a chamá-la:

— *Dona Munda!*

Ela regressa, o coração pulsando nos olhos.

— *Diga, Doutor!?!?*

— *Sobre o remédio eu queria dizer: deixe esse assunto comigo!*

A mulher inclina-se para beijar as mãos do médico. Retrai-se, porém, num último momento. E fica-se, mãos nas mãos, pelo olhar de infinita gratidão:

— *Deus lhe abençoe, Doutor.*

— *Pronto, Dona Munda, as pessoas estão a ver-nos...*

— *Deixe-me retribuir a sua bondade. Por exemplo, eu posso lavar a sua roupa.*

— *A pensão faz isso.*

— *Então, eu posso ajudar lá nas tendas, com esses doentes de agora.*

— *Não vale a pena, Munda, o seu marido não iria gostar.*

Falavam da enfermaria improvisada nas traseiras do posto de saúde. Umas tendas de campanha albergavam os soldados atingidos pela estranha epidemia que os convertera em tresandarilhos. Para o médico, aquilo era um hospital-tenda, um local de higiene e assepsia. Para os habitantes da Vila, a enfermaria era uma residência de maus espíritos, um lugar fatalmente contaminado.

Capítulo seis

— *Onde vai?*
Suacelência barra o caminho do médico à saída da pensão. Sidónio Rosa pousa a pasta no chão como se se libertasse de alguma prova de um flagrante delito. Suacelência questiona com tom inquisitorial:
— *Outra vez para a casa desse mecânico?*
Para o Administrador, as contas eram claras: o estrangeiro perdia tempo demais em visitas aos Sozinhos. O português era o único médico para toda a Vila, estava o povo em plena epidemia e ele, político de carreira, em plena campanha eleitoral.
— *Veja em que situação me deixa a mim, aos meus simpatizantes políticos...*
Depois, afinou o discurso: o português não podia deixar desamparados tantos doentes, favorecendo apenas um velho, ainda por cima sem cura.
— *Esse Bartolomeu já está com os pés para além da cova.*
Quando, mais tarde, o médico relata este episódio a Bartolomeu Sozinho, foi como que o destapar da cratera. O vulcão jorrou incontíveis raivas:

— *Com os pés para a cova está esse cabrão desse Administrador.*

— *Calma, veja o seu coração.*

— *Sabe uma coisa? Eu quero que esse Suacelência se foda. O senhor vai ver o que vou fazer.*

Vai à gaveta do armário, desenrola a bandeira da Companhia Colonial e leva-a para a janela. Hasteia o pano verde e branco na antena da televisão e, depois, recua uns passos a usufruir da visão da bandeira drapejando.

— *Ele tem o seu reino, eu tenho o meu.*

Aquela casa era a sua nação. As dimensões dessa nação não cabiam em mapa métrico. Todos sabem: a casa só é nossa quando é maior que o mundo. Mas, agora, à sombra daquela bandeira, a soberania de Bartolomeu cobria a casa e o mundo.

— *E o cabrão que tente desapear esta bandeira!*

Agita os braços no calor da fala. Ele próprio semelha um trapo dependurado de um mastro, balançando ao sabor das brisas. De súbito, o velho vê-se acometido por uma tontura, segura o peito como se os órgãos quisessem escapar do corpo. Antes que sucumba, o médico ampara-o e ajuda-o a que se estenda no sofá. Sidónio Rosa pede-lhe que sossegue e respire fundo, depois pinça-lhe o pulso entre o polegar e o indicador a registar os batimentos do revolto coração.

Em que preciso momento a pessoa adormece? Quando perde o mundo, tombada no fundo da alma? Quando apenas lhe sobra uma derradeira fresta de luz, ecos de vozes sopradas de tão longe que parecem rumores de anjos?

Bartolomeu não carece de anjos para adormecer. Bastam-lhe as mãos de Sidónio Rosa. O velho escorrega no sono enquanto o médico lhe mede a pulsação. A cabeça balança como se fosse tombar, desamparada, da haste do pescoço.

Segundos depois, porém, ele desperta assaltado por um brusco encontrão interior. Alguém, dentro de si, o empurra para fora do sono. Olhos assarapantados, usa a palma da mão como se fosse uma toalha e limpa demoradamente o rosto. A seguir, todo o corpo se arrepanha num fundo arrepio.

— *Que frio!*

Olha em redor à cata de um aconchego. Volta a estremecer dos pés à cabeça.

— *Quero cobrir-me e essa puta levou-me todos os cobertores para tapar as janelas.*

Ainda se ergue em busca de uma improvável manta. Cambaleia-lhe o corpo, cambaleiam-lhe as palavras. O quarto já perdeu o desenho, ele simplesmente adivinha as sombras e, às cegas, desvia-se dos familiares objectos.

— *Agora, eu pergunto-lhe: quem tem mais frio, eu ou a casa?*

E volta a derramar-se no leito. O dorso arredonda-se num oco ovo e todo o seu peso se resume a um suspiro.

— *O sono que eu tenho, Doutor! Este sono me intriga muito.*

— E porquê?

— Porque não é sono de gente. É de bicho. E me dá medo dormir.

O mecânico teme viajar por essas profundezas onde moram os seus monstros interiores. É por isso que desperta sempre num solavanco. Estremunhado, fita o médico arrumando o estetoscópio e percebe que a demora nos gestos do outro se destina a adiar o relatório clínico. O Doutor, coitado, é tão mentiroso que não sabe mentir.

— Eu queria fazer um pedido. Não me vai dizer que não.

— Depende.

— Mate-me, Doutor.

— Desculpe?

— Estou a pedir que me mate, que acabe com isto...

— Tenha juízo, meu amigo.

— Peço-lhe, por tudo o que o senhor respeita. Dê-me um desses remédios venenosos...

— Nem respondo.

— Então, se não é capaz, deixe Munda fazer isso. Ajude Munda a cumprir esse desejo, meu e dela.

— Você não entende, Bartolomeu.

— Por favor...

Na pressa de negar o pedido, o médico não se apercebe de que o velho está chorando. Bartolomeu soluça tão baixo e tão sem lágrima que nem ele mesmo dá conta que está pranteando.

— Você não entende, Bartolomeu, que a sua esposa... Sabe o que ela me disse?

— Não quero nem ouvir.
— A sua mulher pediu que, no dia em que você morresse, eu a fizesse morrer também.

Subitamente, o velho ergue o rosto, suspendendo o lagrimejar. Acredita não ter escutado certo. Pede que o português repita, sacode a cabeça, perplexo.

— Mentira!
— Juro, foi o que ela me pediu.

O mecânico ajusta palavra e entendimento. Mundinha, sempre torta e azeda, queria agora coincidir os pontos e as reticências?

— Essa conversa é para distrair os meus intentos?
— Esta conversa é para você saber a verdade.
— Por que não faz o que lhe peço? Um dia destes pedi-lhe que me desse banho, o senhor negou. Agora, mais uma vez, recusa satisfazer um pedido meu?
— Eu até posso dar-lhe banho, mas só faço se deixar de lado esse estúpido desejo de morrer. Eu dou-lhe banho para ficar bonito e sair mais uma vez no engate...
— Daquela vez que eu saí, você me humilhou.
— Eu?
— Andou por aí a procurar por mim, parecia que eu era um inválido...
— Só queria ajudar...
— Pois só *atrapalhou* — disse Bartolomeu com firmeza.
— Não volto a atrapalhar.
— O senhor não entendeu nada. Daquela vez, eu não fui à procura de namoros ou de miúdas.
— Então?

— *Fui à procura de alguém que me fizesse a merda desse serviço.*
— *Qual serviço?*
— *O de me matar.*

Num gesto seco, transversou a mão pelo pescoço a imitar uma faca. E deixou a mão erguida, horizontal, pressionando o pomo-de-adão.

— *Pelos vistos* — ironizou o médico — *esqueceram-se de cumprir a encomenda.*

— *Não, eu é que não contratei ninguém. Quando saí à rua eu percebi tudo, voltei atrás...*

Percebera que não poderia ser executado ao desbarato. Ele tinha que valorizar a única riqueza que lhe restava: a sua morte.

— *Tenho que ser morto por um branco!*

Ao português lhe apeteceu contestar, reclamar do pensamento racista do outro, mas permaneceu calado. É tempo de regressar, ainda tem que passar pela enfermaria dos afectados.

— *Não quero que faça disparates, nem que diga disparates.*

— *Eu queria morrer sabe porquê? Para saber o que a minha mulher fez em vida, se me traiu. Os mortos sabem tudo.*

O velho fala com solenidade, mas Sidónio Rosa ainda está sorrindo quando sai para a rua, de regresso à pensão. No balcão de madeira escura, o ensonado recepcionista, num gesto mecânico, estende-lhe a chave. Mesmo sem olhar, o médico corrige:

— *É a outra chave.*

O recepcionista hesita, balançando o chaveiro na mão. Está medindo a argúcia do visitante, ao mesmo tempo que avalia o seu próprio estado de vigília.

— *Que chave é essa, afinal?* — pergunta ele, com voz ensonada.

Antes que o funcionário corrija, o médico lhe arranca todo o chaveiro da mão e, bruscamente, vira costas e se afasta pelo corredor.

— *Onde vai, Doutor? Dê-me essas chaves.*

Tarde demais, o português já se afundou nas interditas entranhas do decadente edifício. O recepcionista, coxeando, se lança na peugada do inquilino. O português escuta os passos desiguais e quase lhe adivinha o pensamento: "Grande cabrão, tuga de merda, escolhi um serviço que me deixa ficar escondido, atrás de um balcão, e agora me obrigas a arrastar as avariadas pernas como um caranguejo caminhando sobre vidro…".

Desta feita, a voz do funcionário, bem real, impõe-se, em sentida súplica:

— *Não faça isso, patrão Doutor, não faça isso!*

O médico detém-se apenas em frente da porta do misterioso quarto, esse recanto que ninguém ousa visitar. O coxo gesticula fervorosamente, rodando em redor do estrangeiro como um corvo de asa quebrada.

O português ainda hesita ao sentir a maçaneta da porta ceder. E suspende o gesto a meio. Que surpresa lhe reservaria o amaldiçoado aposento? Sangue espalhado nas paredes, o cheiro nauseabundo de cadáver, um despedaço de corpo?

Olhos semicerrados, Sidónio vence o medo e empurra com violência a porta. O quarto está limpo, sem cheiro, sem sinais de violência. Pelo contrário, respira-se ali a tranquila ordem de um mosteiro, as roupas lavadas e passadas a ferro, impecavelmente pousadas em cima da cama. Um par de óculos, uma pulseira e um bloco de apontamentos estão alinhados sobre a mesinha-de-cabeceira.

— *Quem está aqui?*
— *Ninguém.*
— *Como ninguém?*
— *Esteve. Já não está.*
— *Foi-se embora? Saiu da pensão?*
— *Não saiu da pensão. Saiu da vida.*
— *Morreu? Como foi que morreu?*
— *Isso não sei. Quem pode dizer é o patrão. Quer dizer, o outro patrão.*
— *Ninguém veio buscar as coisas dele?*
— *Feche a porta, Doutor, e dê-me a chave, eu vou ser castigado por isto...*

O resto da conversa resvala na metafísica. Quem tinha vivido ali? O recepcionista, subterfugitivo, vagueia: não existe o ter vivido. Viver é um verbo sem passado.

Capítulo sete

Choveu a noite anterior e Sidónio vem, pela calada do dia, canguruando pelas ruas. Saltita para rodear os charcos, no inglório esforço de poupar os sapatos. Contorna o mercado e vai deixando para trás a pensão onde se alojara desde que chegara a Vila Cacimba.

Encontra Dona Munda no pátio traseiro da casa, estendendo a roupa. O médico vai balançando, em rídicula dança, tentando escapar dos lençóis golpeados pelo vento.

— *Acha que ainda vai chover, Doutor?*

Sidónio olha para cima, incompetente para tanto céu. Aquelas nuvens não são as suas, e mesmo que fossem as de Lisboa, ele não saberia ler nelas nenhuma previsão meteorológica. Não, ele nunca fora aquilo que na Vila se chama "um coleccionador de nuvens".

— *Sempre que estendo lençóis* — confidencia Munda — *o fulano me espreita da janela. Coitado, ele pensa que preparo o leito da nossa nova noite de núpcias...*

— *E por que não?*

— *Nunca.*

— *Porquê?*

— *São razões minhas.*

— *Mas a senhora ainda o ama. Vê-se bem que ainda o ama.*

— *O amor não é chamado.*

— *Pense bem no assunto, Dona Munda.*

— *Quero que ele morra. Depois de Bartolomeu morrer, eu dormirei com ele todas as noites.*

O médico vai seguindo a mulher por entre os esvoaçantes lençóis, como num jogo de cabra-cega.

— *A senhora tem que me dizer: porquê tanto ódio?*

— *Ódio? Ódio seria sentimento demais para ele.*

— *Por que pretende matar o seu marido? Que mal ele lhe fez?*

— *Não é tanto o mal que fez: é o que ele vai fazer.*

Bartolomeu não é suficientemente medroso para ser violento. Por que motivo fermentaria vinagres contra a própria esposa?

— *Bartolomeu não lhe fará mal.*

— *Eu pergunto, então: por que motivo ele me ameaça todos os dias?*

Mundinha deixa escorregar a bacia da roupa ao longo do ventre. Esfrega o rosto com o avental para secar o suor.

— *Pois eu vou-lhe dizer: esse fulano ameaça divulgar pelo bairro que eu sou uma feiticeira.*

O destino das mulheres é serem culpadas. A idade torna-as ainda mais donas de perigosos saberes. Não é preciso prova. Basta que recaia sobre elas a acusação de feitiçaria. A justiça é sumária, sem juízes, sem juízos.

O veredicto está facilitado: as mulheres já foram julgadas antes de haver tribunal.

A mais recente obra de feitiçaria de Munda poderia ser, por exemplo, a praga que recaiu sobre os soldados enlouquecidos. Mais do que outros exércitos, esses homens haviam, durante a recente guerra civil, desafiado poderes de natureza divina. Os tresandarilhos estavam pagando o preço dessa transgressão. Tudo por causa dos secretos poderes de Munda.

— *Sabe o que aconteceu a uma viúva que morava aqui ao lado? Acusada de bruxaria, foi apedrejada e morta.*

Assassinada por mãos anónimas, legitimadas por receios milenares. Não muito diferente, afinal, da tentativa que ela buscava para matar o marido: um veneno disfarçado de remédio. A malograda vizinha enviuvara por completo. Munda era, apenas, a semiviúva. Os seus poderes esperavam pela morte do marido para se revelarem por inteiro.

— *Agora, Doutor, vá para dentro. Sossegue o fulano. Ele deve estar espreitando, nervoso de nos ver falando.*

— *Eu vou, então.*

— *E diga-lhe, já agora, que esta roupa não vem dos soldados. É roupa limpa, mais limpa que aquela que ele suja todos os dias.*

O estrangeiro retrocede sem se virar, observando Munda aparecer e desaparecer entre os golpes de roupa branca. Acaba de abrir a porta que dá para o pátio, quando a mulher o faz parar:

— *Bartolomeu me disse que o senhor pensa visitar os lados do velho cemitério... Por favor, não vá.*

— O quartel fica para aqueles lados, eu tenho que ir lá, como médico sou obrigado...

— *Não vá, Doutor, eu lhe peço. Jura que não vai.*

— De qualquer maneira, terei que esperar que a chuva passe.

— *Não vá! Ainda fica contagiado pelos maus espíritos.*

— Vou pensar no seu conselho. Agora tenho é que ir ter com o meu doente predilecto. Depois falamos, Dona Munda.

Sidónio Rosa entra na cozinha, sentindo que o olhar de Munda o segue até à obscuridade do ventre da casa. As cortinas estão fechadas, como sempre. Suspenso sobre um banco alto, o majestoso feto secou. Há tempo que morreu mas ninguém o deita fora. "Há-de renascer", defende Munda. Sabida e consentida ilusão: a planta nunca mais viverá.

No fundo do corredor, a porta do quarto se abre, mesmo antes que o médico peça licença, e Bartolomeu dispara a pergunta:

— *Falavam de quê, vocês os dois?*

Assim, sem bons-dias, nem saudações. As pálpebras tremem-lhe como folhas na ventania. A doença lhe minguara o rosto e fizera crescer os olhos a ponto de não poderem ser contemplados. A regra humana é: o corpo todo envelhece, menos os olhos. Em Bartolomeu, até o olhar o tempo embaciara.

— *Feiticeira, sim, é isso mesmo que ela é* — proclama o doente.
— *Não diga isso, é perigoso...*
— *Perigosa é ela mesmo.*

Bastava encostar-se numa única lembrança para fazer prova: certa vez ele lhe oferecera uma flor, um lírio selvagem de grandes pétalas brancas. Colocada em jarra, a flor parecia iluminar a sala.
— *Cheira a carne, essa flor.*

Foi o agradecer dela. Apenas isso, sem pitada de gratidão. No dia seguinte, a flor se havia convertido numa mão humana. A mulher confirmou o presságio:
— *Eu disse que não colhesse flores naquele campo?*
— *Que mais tem esse campo?*
— *Esse campo não podia dar flores. Esse campo foi um cemitério dos soldados alemães, é um lugar maldito.*
— *Maldito porquê? Não foi ali que o seu avô alemão, esse muito transacto, foi sepultado?*

Bartolomeu hesitou: deitava ao lixo a flor, aliás, a mão? Sem coragem para fazer, nem força para não fazer, acabou por não se aproximar da jarra. Não imaginava quanto se iria arrepender da sua passividade. Na manhã seguinte, a mão pingava sangue e, em vez de água, um líquido rosado preenchia o bojo transparente do vaso. Dona Munda advertiu:
— *Não tarda que daqui nasça um corpo inteiro.*

Neste ponto do relato, o velho Bartolomeu cala-se, subitamente alheado de tudo.

— E o que aconteceu à mão? — inquire o médico.
— Que mão?
— A mão que virou flor, essa história que me estava a contar.

Suspenso no vácuo, Bartolomeu Sozinho enfrenta o médico nos olhos e murmura:

— *Um dia eu conto. Neste momento estou muito cansado.*

Só nós vemos a flor, em si mesma. Mas essa é uma visão ilusória: a flor é a planta toda inteira. A flor existe na fragilidade do caule, estende-se pelas profundezas da raiz; a flor é a terra em redor, é a água que ascende em seiva. Arrancar a flor do cemitério é rasgar a terra onde os mortos fazem morada. Tinha sido isso que sucedera: com as pétalas veio areia das campas, a sala tinha sido conspurcada, a casa amaldiçoada. Mas nada disso o mecânico relembrou. Ele estava ausente, arrependido de ter chamado o assunto.

— *Um dia conto, agora dói-me muito a alma.*
— *Então por que não se deita? Vai ver que não tarda a dormir com os anjos.*
— *Com quem?*
— *Com os anjos, é uma forma de expressão.*
— *Eu precisava era de uns comprimidos para me ajudar a dormir.*
— *Vai ver que, esta noite, dorme como um santo.*
— *Como quem?*
— *É uma outra forma de expressão.*
— *Sabe uma coisa? Sinto que os meus fígados estão a regressar à barriga. E não é uma forma de expressão.*

— *É bom sinal, os fígados querem-se é na barriga.*
— *O medicamento que me deu o mês passado está agora a fazer efeito.*
Sidónio já nem se recorda da receita. Disfarça para não contrariar a aura de omnipotência que lhe cabe como médico.
— *Ainda bem, ainda bem.*
— *Não me pode receitar mais?*
Um vago "claro, claro" assegura que não haja mais assunto. Já se erguendo para as despedidas, ocorre ao médico um motivo para se demorar um pouco mais. Adia o regresso à pensão, com medo de marinar na solitária angústia de quem não sabe esperar.
— *Ah, é verdade, então eu hoje não tenho direito a um sonho?*
A idade enevoou a cabeça de Bartolomeu. O homem não se lembra dos sonhos recentes. Por isso, narra apenas os velhos sonhos. Alguns, como ele diz, mais velhos que ele próprio.
— *Sente-se, Doutor, que eu tenho aqui um sonho, este sonho é muitíssimo bom, primeira qualidade. Mas, já sabe, depois do sonho, recebo uma qualquer coisita.*
— *Está combinado.*
— *Um cigarrito?*
Olhos de menino, o português ganha assento na esquina da cama, mãos pousadas sobre os joelhos, enquanto o velho vai narrando:
— *Eu fiz este sonho na noite de... deixe-me ver... foi exactamente na noite de cinco de Fevereiro de*

1989... ou, espere... talvez fosse a noite anterior... bom, se não era cinco era quatro.
— Deixe a noite, Bartolomeu, o que importa é o sonho.

O médico estranha a sua própria ansiedade. Naquele lugar sem outra evasão, o relato dos sonhos de Bartolomeu era uma espécie de *matinée* de cinema. O doente desenrola a voz numa poalha luminosa e o português vai-se lembrando da sua cidade, dos rumores confusos provenientes das ruas atafulhadas de carros e gentes. E recorda Deolinda, o encontro fugaz e fabuloso, sob o fundo de luz branca de Lisboa.

Quando Sidónio volta a dar conta do tempo, já Bartolomeu desnovela: "... chovia aquela noite...".
— *Chovia no sonho?*
— *Oh, Doutor, o senhor sofre mesmo de poesias: então chove nos sonhos?*
— *Eu, poesias?*
— *Não é de agora. O senhor já anda poetando há muito tempo. Por exemplo, quando o senhor me aconselha para eu cortar nas bebidas...*
— *Acha que isso é poesia?*
— *Então não é? Cortar-se na bebida? A gente pode cortar nas árvores, cortar na roupa, cortar sei lá onde, mas diga lá, Doutor, que faca corta um líquido? Só a faca da poesia.*
— *Você é que anda muito inspirado nestes dias, meu caro Bartolomeu.*
— *Ah, é verdade! Há ainda mais outra: o senhor*

diz que beber me faz gota. Sabendo os litros que bebo, Doutor, é preciso muita poesia para falar em gota...

Que também ele, Bartolomeu Sozinho, fora dado a poesias. E pela centésima vez reabre a gaveta para reler num bloco de notas algo que escrevera sobre tempos e pensamentos. Avança para o centro do aposento e faz de conta que vai lendo um invisível manuscrito: "Aos 10 anos todos nos dizem que somos espertos, mas que nos faltam ideias próprias. Aos 20 anos dizem que somos muito espertos, mas que não venhamos com ideias. Aos 30 anos pensamos que ninguém mais tem ideias. Aos 40 achamos que as ideias dos outros são todas nossas. Aos 50 pensamos com suficiente sabedoria para já não ter ideias. Aos 60 ainda temos ideias mas esquecemos do que estávamos a pensar. Aos 70 só pensar já nos faz dormir. Aos 80 só pensamos quando dormimos". A mão tomba-lhe num inesperado abatimento e Bartolomeu sacode a cabeça como que surpreso pela sua própria criação.

— *Munda diz que isto não é da minha autoria. Mas eu escrevi isto a bordo do* Infante D. Henrique. *Eu lá também sofri de poesia.*

O português contempla o velho com comiseração. A inexistente folha de papel que lhe pende do braço pesa mais do que ele pode suportar. E ele mesmo, Sidónio Rosa, se sente subitamente envelhecido. A idade é uma repentina doença: surge quando menos se espera, uma simples desilusão, um desacato com a esperança. Somos donos do Tempo apenas quando o Tempo se esquece de nós.

— Você devia sair, apanhar sol. Qualquer dia, você está da minha cor.

— O senhor não tem cor, Doutor. As pessoas não têm cores. Ou têm cores que não têm nome.

Capítulo oito

— *Mandei chamá-lo, caro Doutor, porque há assuntos que pedem o sossego de um lar civilizado.*
O administrador Suacelência sublinha a palavra "mandei". Ele é autoridade, dá ordens sobre nacionais e estrangeiros. Não há, aliás, outro estrangeiro sobre o qual possa fazer descer sentenças. O médico está sentado no cadeirão da sala, sem cruzar as pernas como se espera de quem exibe os devidos respeitos.
— *Pois mandei chamá-lo* — repete enfaticamente o anfitrião — *para conversarmos sobre a situação da Vila. E tinha que ser aqui, no conforto da minha casa.*
O conforto é regrado, mas o cenário é o mesmo das outras casas da administração de todo o país: um sofá de napa castanho, com paninhos bordados na cabeceira, um pesado armário de madeira escura com vidros e espelhos. Embalagens vazias de *whisky* decoram as prateleiras. Suacelência parece seguir o olhar do visitante, pois, nesse exacto momento, dá ordens:
— *Esposinha, traga um* whisky *aqui para o nosso doutor.*
— *Não vale a pena, não bebo.*

— *Eu não bebo outra coisa, para mim* whisky *é a única bebida que existe.*

Dona Esposinha traz uma garrafa numa bandeja de plástico preta com incrustações a imitar madrepérola. Depois de servir um copo, a mulher ensaia uma ligeira genuflexão e retira-se sibilando um prolongado "dá licença".

— *Deixe a garrafa que a noite ainda vai baixa.*

O Administrador estala a língua ruidosamente a aprovar a qualidade da bebida. Os pobres podem não gostar dos ricos, mas o que eles realmente odeiam são aqueles que são ainda mais pobres. A urgência de demarcação desses outros, os ordinários cacimbenses, está patente no mínimo gesto e palavra de Suacelência.

— *Essa doença misteriosa que se espalhou por aqui: o senhor já tomou as providências?*

— *Eu acho que se trata de meningite.*

— *É uma doença, digamos, que encomendável?*

— *Não entendo.*

— *Pergunto se alguém... digamos, um inimigo político, poderia ter encomendado.*

— *É uma doença que ocorre sobretudo nas pessoas que se concentram em recintos fechados. É por isso que os soldados são mais atingidos...*

— *As pessoas pensam que é um mau-olhado.*

— *As pessoas não pensam...*

Suacelência adivinha a retórica do europeu. Ergue o braço autoritário, mas abre mão à paciência para que o estrangeiro entenda.

— *Pode ser doença. Mas doença que provoca convulsões, aqui, em Cacimba, passa a ser outra coisa.*

Os rumores tinham-se espalhado como fogo em capinzal. Nunca se tinha visto coisa igual: homens adultos vagueando, febris, sujos e maltrapilhos. E era como o Administrador explicava: as pessoas, em Cacimba, podem ser pobres mas andam limpas e cuidadas. Apenas os loucos andam sujos.

— *Os maus espíritos vestem-nos com o lixo deles. E eu mesmo, que não sou massa popular, eu acredito que há... como direi... uma maldição do cemitério.*

— *Como assim, uma maldição?*

— *Viajar é muito bom, mas as pessoas deviam morrer no sítio onde nasceram.*

— *Não vejo relação entre uma coisa e outra.*

— *Veja o cemitério dos alemães. São falecidos confundidos, não reconhecem o lugar onde suspiraram.*

— *O mundo mudou, as pessoas hoje vivem e morrem longe dos lugares onde nasceram.*

— *Não sei, o senhor sabe mais do mundo. Voltemos à epidemia, Doutor. Eu quero é resultados, quero anunciar o controlo da situação.*

— *Mandei vir vacinas e antibióticos da cidade. É preciso iniciar uma campanha de limpeza e isolamento. Noutras palavras, é preciso o senhor mandar fechar o quartel.*

— *Não posso.*

— *Por uns tempos. O quartel deve ser o foco desta epidemia.*

— *Mas eu não mando nos militares.*

— *Falo como médico, é preciso arejar e desinfectar o quartel.*
O anfitrião levanta-se e chama pela mulher. Reconhecer que os seus poderes são limitados o tornou tenso, precisa de se reabastecer de álcool. O médico faz tenção de se erguer e reencher o copo para o dono da casa, mas este ordena que se detenha. A esposa estava certamente acordada e cumpriria a sua doméstica obrigação.
— *Parece-me que Dona Esposinha já adormeceu...*
— *Ela acorda, ela acorda* — e o homem grita, num tom marcial: — *Esposinha!*
Silêncio. A casa dorme. Suacelência apoia-se, esforçadamente, nos joelhos e vai gemendo enquanto se aproxima da mesa. Serve-se generosamente e, mais generosamente ainda, emborca, de uma assentada, um copo inteiro. Volta a encher o copo, ao mesmo tempo que desaperta o cinto e esfrega a barriga deixada a descoberto. Um poderoso arroto mistura-se com a voz e o administrador é forçado a repetir a fala:
— *Sabia que eu posso mandá-lo prender?*
— *Sei.*
— *Fica preso e ninguém sabe de nada. Aqui em Vila Cacimba é muito longe, não há embaixadas consulados, jornalistas...*
O português baixa o rosto, em silêncio. A ameaça é tão real que ele não encontra resposta. Suacelência continua afagando a pança e retoma o discurso em tom mais suave:

— O que é que o faz tanto ir a casa de Bartolomeu Sozinho?
— Ele está muito doente.
— Há dezenas de pessoas muito doentes, com toda a prioridade política que eu já lhe expliquei. Ou será que é outra pessoa que o chama àquela casa?
— Por amor de Deus...
— Fique sabendo de uma coisa: o senhor é Doutor, com o devido respeito, mas eu mando em si e não vou permitir desobediências. Ficamos entendidos?
— Entendi.

De novo, um arroto faz estremecer um silêncio que se pretendia solene. Suacelência cerra os olhos, parece atacado por uma súbita melancolia.

— A minha vida não é muito feliz, o senhor sabe?

O dono da casa inicia a fase queixosa: ele só podia embebedar-se em privado. Porque em estado alcoólico ele dizia a verdade, toda a verdade e apenas a verdade.

— Sabe o que acontece no final? Acabo dizendo mal do meu partido.

Mais um trago, mais uma confissão. Olhos postos no copo, vai apalpando o assento da cadeira:

— Eu gosto de vocês, portugueses, até porque foram portugueses que me salvaram.
— Salvaram como?
— Do naufrágio. Foram pescadores portugueses que me tiraram da água. Bartolomeu não lhe contou?
— Não.
— Nunca lhe falou do Infante D. Henrique?

— Sim, já me contou mais que uma vez.
— Mas aposto que não lhe disse a verdade. Não lhe disse que estávamos juntos eu e ele. Eu conto-lhe, agora, a verdadeira verdade.

Suacelência e Bartolomeu eram amigos de infância. Cresceram juntos na aldeia de Murebwé, nas imediações de Porto Amélia. No dia em que vieram buscar apoio para reparar o *Infante D. Henrique*, eles embarcaram juntos no pequeno bote. Na viagem até ao navio, ambos cuidaram de não voltar o rosto para trás. Eles queriam que o cais ficasse sem despedida. Para que fossem livres para nunca mais voltarem.

Foram os dois adoptados pelo comandante do navio. Mas, logo na viagem para a capital, Suacelência foi atacado por vómitos, e de tal modo se sentiu indisposto que foi deixado na capital. Quando o navio abandonou o porto de Lourenço Marques rumo a Lisboa, Suacelência ficou em terra, acenando com o mesmo lenço que o iria acompanhar por toda a vida.

O jovem Suacelência demorou-se na capital e, quando regressou à sua terra natal, trouxe consigo uma versão heróica da sua passagem pelo navio. Que ele tinha sido expulso do transatlântico por razões patrióticas. Ele, Suacelência, filho e neto da linhagem Susiweia, tinha capitaneado uma revolta à moda do assalto do *Santa Maria*, por Henrique Galvão. A revolta abortara — em parte pela conivência de Bartolomeu para com os portugueses — e Suacelência tinha sido lançado ao mar. Salvara-se graças à ajuda de uns pescadores que o trouxeram para a praia.

Meses depois, quando voltou de Lisboa, Bartolomeu Sozinho já estava classificado como mentiroso, traidor, colaborador. O que quer que ele dissesse sobre o passado de Suacelência seria entendido como uma intencional falsidade.

— *Tudo mentiras desse decorativo do Bartolomeu...*

A bebida escorre pelo copo, pinga na alcatifa, mas Suacelência, voz pastosa, está demasiado ocupado no relato do passado. A narrativa volta ao início, enroladas que estavam palavras e ideias:

— *Foram pescadores portugueses que me salvaram...*

Os pescadores eram portugueses. Todavia, já tinham sido ingleses, italianos, franceses e russos. A nacionalidade mudava consoante as conveniências do relato e a identidade do interlocutor.

— *Nós aqui gostamos muito dos portugueses.*
— *Ainda bem.*
— *E fique sabendo: eu gosto de si, meu Doutor.*
— *Agradeço-lhe. Eu também gosto de si.*
— *Você é diferente do padre daqui da Vila.*
— *E porquê?*
— *Os padres, eu conheci-os muito bem, tratam a alma como uma árvore: podam-na. O senhor, não. O senhor trata, digamos, do corpo espiritual.*

Despedem-se. O Administrador abraça o visitante e o amplexo demora mais do que Sidónio desejaria. Por um instante, ainda nos braços do outro, estranhos pensamentos o assaltam. Teria Suacelência adormecido, no morno amparo do seu corpo?

Ou, pior, estaria retirando libidinosos sabores daquele contacto?

O anfitrião, por fim, se separa, amparando as mãos nos braços do interlocutor e pergunta:

— *O que é que eu ia a dizer?*

— *Não sei* — responde o médico, desviando-se do hálito empestado do Administrador.

— *Ah, é verdade. Não esqueça do remédio, Doutor.*

— *Do remédio?*

— *Para a transpiração, não se lembra?*

Capítulo nove

Sidónio Rosa apenas conhece um caminho no labirinto de atalhos de Vila Cacimba: a ruela que liga a pensão ao posto de saúde e à casa dos Sozinhos. E é esta mesma rua de areia que ele, neste momento, percorre como se fosse um campo minado. Salta à vista: é um europeu caminhando nas profundezas de África. O passo é calculado, quase em bicos dos pés, o olhar cauteloso garimpeirando o chão. Ele não confia, a sua sombra não é comandada por ele. Passa pelo mercado, esquiva-se dos vendedores, dos pedintes, dos bêbados. "Raio de vida", pensa. "Os que a mim se dirigem não me querem como pessoa. Uns chegam-se para vender, outros para roubar. Ninguém me aborda sem interesse, meu Deus, como me custa ter raça!" Rectifica a ideia, depois, quando escuta:

— *Bons dias, Doutor!*

A saudação se repete, aberta, genuína e generosa. E a alma do português se reacende num sorriso. Ele está sendo abraçado pelo Universo.

Quase esbarra com uma jovem vistosa. O médico cede à tentação de a contemplar, preso no bambolear das generosas ancas. Vêm-lhe à mente as palavras de Bartolomeu:

— *Fazer amor com uma menina, isso é que é um bom remédio para si e para mim.*

O velho Sozinho insiste em invocar os tradicionais preceitos: fazer amor com uma virgem é o melhor procedimento para limpar os sangues. No fundo, ele não acredita muito nisso, mas a receita é bem mais apetitosa que as prescrições clínicas que atafulham a sua mesinha-de-cabeceira.

— *Antes eu recebia cartas; agora, escrevem-me receitas médicas. O que agora tenho, ao lado da cama, não é uma mesinha-de-cabeceira. É uma mezinha de cabeceira.*

Finalmente, o médico aproxima-se do lar dos Sozinhos e as dificuldades da marcha agravam-se. Buracos, pedras, obstáculos semeados num caos que não é obra do acaso. Foi o velho Bartolomeu quem sabotou a pequena rua. Logo na primeira visita, a mulher explicou ao português, como se desculpasse os incómodos do caminho:

— *Foi Bartolomeu: andou arrancando pedras da calçada, esburacando o pavimento, só para ninguém vir cá a casa.*

"Se eu já não saio, então, também mais ninguém vem cá!" Era isso que ele dizia, enquanto abria as covas, dobrado sobre o chão, pá em riste, a mulher atrás dele para o dissuadir, invocando os ossos que, mais tarde, o iriam castigar.

A desobediência valera-lhe admoestação da esposa e pesada multa por parte da autoridade municipal.

— *Vandalização da coisa pública!* — clamou Sua-celência.

O ex-mecânico encolheu os ombros.

— *O primeiro milho é para os donos dos pardais* — comentou. Depois, calou-se pelos cotovelos.

Os danos sobraram sem reparação, e agora, por causa deles, o médico sacode os sapatos à entrada da casa. Faz subir o vinco das calças antes de avançar pelo corredor da residência. A casa está abafada, os tapetes cheiram, os espelhos dormem cobertos com panos como se faz ao rosto dos falecidos. As janelas cerradas lembram asas decepadas. Nunca mais haverá céu para aqueles pássaros.

O português acelera o passo para vencer a última porta do recinto. A voz do velho, ao rodar da maçaneta, surge solta, soletrada sem fadiga.

— *Como estou? Estou vivo, salvo seja.*

A cinza resta, inteira, no extremo do cigarro aceso. É como se Bartolomeu Sozinho quisesse recolher, intacto, o tempo já consumido. Cumpre o seu próprio dizer queixoso: "Passamos a vida desperdiçando vidas". O velho já desperdiça pouco: uma réstia de cinza, migalhas de bolachas que a esposa varre, das poucas vezes que tem acesso ao quarto.

Seguindo o voo do fumo, o olhar do médico é suficientemente reprovador para dispensar a habitual reprimenda.

— Não sou eu que fumo, Doutor Sidonho. O cigarro é que me está fumando a mim.
— Nisso estamos de acordo. O senhor não devia tocar mais em cigarro.
— O Doutor me desculpe, mas o senhor não entende o fumar.
— Não entendo, como?
— Não é o tabaco que a gente consome. A gente fuma é a tristeza.
— Hoje, o senhor parece melhor, refila com mais poesia, menos azedume. Um dia destes está, de novo, escrevendo versos, como fazia no Infante D. Henrique.

Sete décadas estão avaliando a verdade das palavras do médico. Das outras vezes, o velho respondia, invariavelmente: o Doutor que fosse tratar do mundo. Porque a ele, Bartolomeu Sozinho, lhe doía uma pedra, lhe doía uma árvore, lhe afligia a terra inteira. O universo todo adoecia nele. O médico que fosse curar o mundo e, assim, ele melhoraria por benéfico arrasto.

Desta vez, porém, o quarto está iluminado por uma fresta na janela e o próprio doente parece menos olheirento. O visitante estranha aquela mudança de humores.

— É devido a essa cabra da Munda, Doutor Sidonho, eu me demoro neste mundo só para a contrariar...
— Gosto de o ouvir. É uma boa piada.
— Diga a verdade, Doutor: a minha Munda, ali sentadinha na cozinha, não tem chorado por mim?
— Chorado?

— *Pode dizer, Doutor, pode falar, ela não tem confessado o quanto ela me ama tantissimamente?*

O médico não articula som. O mais que consegue fazer é acenar indefinidamente com a cabeça.

— *Munda não entende, mas eu, se a magoei, foi sem nenhum querer.*

— *Por que não fala com ela?*

— *O que eu lhe quero dizer, só vou conseguir falar depois de morto.*

Bartolomeu chama o visitante para mais perto, coloca a mão em frente da boca, em preceito respeitoso, e solicita:

— *Não será que pode convencer Munda a se mascarar de remédio?*

— *Mascarar de remédio?*

— *Não está a entender? Diga-lhe para ela se fantasiar de miúda, fingir-se de jovenzita que me vem visitar, está a perceber, Doutor?*

— *Não sei, não posso...*

— *Não me quer tratar? Não quer tirar-me o sofrimento?*

— *Eu prefiro fazer aquilo que sempre me pediu. Vou à rua e lhe trago uma catorzinha, duas catorzinhas...*

— *É que eu não quero outra... quero ela, só ela.*

O médico está absolutamente certo: o absurdo plano será rejeitado por Dona Munda. Ainda lhe ocorre: irá procurar uma prostituta que aceite fazer-se passar pela esposa. O velho está quase cego, não dará pela troca, acertadas que estejam as vozes e os perfumes. E decide avançar nesse logro:

— *Eu aceito, Bartolomeu.*
— *Aceita?*
— *Sim, vou convencer Dona Munda.*

Um abraço desajeitado a celebrar a inesperada cedência. O doutor evita o corpo cambaleante: há nesse abraço um trânsito de alma que é bem mais contagioso que o mais virulento micróbio. As despedidas são sumárias, à moda de médico.

O velho mecânico vai à janela, abre o cortinado como se estivesse reparando uma enferrujada engrenagem. Espreita, a medo, o médico afastando-se na outra esquina. A rua deserta lhe parece familiar, próxima da solidão do seu quarto.

Com passo viúvo, Bartolomeu regressa à cómoda e procura pelo maço de cigarros que o médico sempre lhe deixa. O envenenado remédio, assim lhe chama Sidónio. É então que dá conta: a pasta de Sidónio ficara esquecida sobre a cómoda. O velho ainda ensaia uns passos, clamando ao longo do corredor:

— *Doutor! Doutor, o senhor esqueceu a pasta!*

Assoma à porta da rua, a derradeira fronteira que o separa do mundo. Hesita um instante, e só depois lança um grito náufrago:

— *Doutor Sidonho!*

Mas era tarde, o português já se escoara entre gentes e ruas. Bartolomeu Sozinho, à soleira da porta, está paralisado. Do lado de lá está o Universo, ou quem sabe o mar, esse escuro abismo onde seus passos para sempre se afundarão.

— *Doutor!* — grita, aos baixos berros.

Pasta aconchegada no peito, regressa ao aconchego do lar, retoma a segurança do quarto. E assim se deixa ficar, soçobrando o esquecido objecto como se partilhasse com ele a sua condição abandonada.

Na próxima hora, já na penumbra do quarto, a curiosidade consome o velho mecânico. Aqueles papéis, espreitando pelo fecho entreaberto, que segredos revelariam sobre o seu estado? Estaria ali, preto no branco, o prognóstico do seu definitivo final? Vencido pelos diabos interiores, Bartolomeu Sozinho abre a pasta e remexe as suas entranhas. Espreita papel por papel e a surpresa se vai avolumando em seu rosto. De súbito, se desata o vulcão em sua alma:

— *Grande filho da puta!*

Há malícia no seu distorcido sorriso, quando decide esconder a pasta numa gaveta do armário.

— *Vou lixar esse filho da puta! Eu é que lhe arranjo um remédio, sim, um desses remédios que limpam de vez as gargantas dos aldrabões.*

Capítulo dez

Dona Munda cospe nos dedos antes de tocar no ferro de passar a roupa para testar a sua quentura. Agita o aparelho, e o som do carvão a chocalhar mistura-se com a voz do médico:

— *Por que não usa ferro eléctrico?*

— *Não se diz que não há fumo sem fogo? Pois eu só acredito no fogo com fumo...*

A cozinha está povoada de aparelhos eléctricos: geleira, fogão, arca frigorífica. Velhos e em péssimo estado, mas funcionando. As razões de escolha do ferro a carvão são outras. E o médico sabe quais são.

— *Trouxe mais* diesel, *deixei-o no pátio. Depois, à saída, encho o gerador.*

— *Agradeço, Doutor, agradeço muito. Desculpe a pergunta: o senhor não tira esse combustível lá do posto de saúde?*

— *Como poderia fazer uma coisa dessas?*

— *Há gente importante que faz isso.*

O médico apaga a boca. É um voluntário, é estrangeiro, que pode ele dizer? Do bolso retira um envelope e diz:

— *Estão aqui as fotografias que me emprestou. Onde as ponho?*

Na semana anterior, Dona Munda mostrou-lhe o álbum de família. Espantoso como ela, na sua juventude, era parecida com a filha Deolinda. O médico não saberia distinguir entre uma e outra. Essa semelhança impressionou-o a ponto de o encorajar a abdicar do distanciado respeito que ele sempre preservou. E foi por isso que ele pediu as fotografias de empréstimo. Dona Munda reagiu com a mesma indolência com que agora sugere que o médico tome posse dessas lembranças.

— *Leve-as, fique com elas, meu caro Doutor. As fotos fazem dos parentes peças de mobiliário.*

— *Ora, Dona Munda...*

— *Além disso, essas fotos não me pertencem.*

— *Não entendi: essas fotos não são suas?*

— *Eu é que já não sou dessas fotos. Tudo isso aí é de um tempo que já morreu, a gente fica menos vivo só de entrar nessas lembranças.*

Desde há uns dias que Dona Munda o chama para se sentarem na sala. Entreabertos os pesados cortinados, a anfitriã e o português demoram infinidades a visitar memórias da família, histórias e imagens de Deolinda. Brasas se acendem nos olhos do médico e as palavras de Munda são água onde ele reganha sossego. E ali ficam, ambos banhando-se numa doce inexistência.

Todavia, agora, Munda parece outra, entregue com afinco aos afazeres domésticos. E levanta o ferro de engomar como se fosse uma espada e a esgrimisse contra fantasmas. Arremessa o aparelho contra a tábua, amassa a camisa com o mesmo gesto cansado com que as lavadeiras vão socando a roupa de encontro à pedra.

— *Esta manhã, o fulano abriu a porta do quarto. Até agora não a voltou a fechar.*

— *Ele não lhe disse que tinha encontrado uma pasta minha?*

— *Uma pasta?*

— *Esqueci-me dela ontem no quarto dele.*

— *Não sei de nada.*

— *E ele chegou a sair à rua?*

— *Barto nunca mais voltará à rua. Só tchovado* no caixão.*

— *E falou com alguém?*

— *Com quem poderia falar? Não, ele só cirandou aqui pela casa. Hoje é aniversário dele...*

— *Quantos anos faz?*

— *Contar idades dos outros só aumenta a nossa própria idade...*

De repente, do fundo do corredor, ecoa a voz pastosa:

— *Quem está aí?*

É Bartolomeu. Quer confirmar quem, na sala, está trocando conversa com a esposa. Munda encolhe os ombros, displicente:

— *Está com dores? O médico está aqui, aproveite para se queixar.*

---

* *Tchovado:* "empurrado". Aportuguesamento do verbo *kutshowa* ("empurrar", em língua tsonga), *tchovar* já faz parte do português moçambicano.

— *Eu não tenho nem dores nem queixas. Aproveite para convidar o Doutor para festejar connosco.*

Impassível, Dona Munda, parece não ter ouvido. Contudo, o ferro desaba com mais raiva sobre a tábua. O marido nunca festejou coisa alguma, nada era suficientemente importante para o transportar para a alegria. Por que razão escolhera a idade da despedida para convocar um festejo natalício?

— *Você, Mundinha* — grita ele do fundo do corredor —, *você vai-me arranjar umas velas, desta vez eu quero soprar bem... setenta sopros...*

— *Você? Você já não tem fôlego para apagar nem uma velita...*

— *Hei-de apagar. Se não for com sopro é com um peido.*

Escuta-se o riso sufocado. O médico está tenso, a única coisa que lhe apetece é romper pelo quarto adentro para esclarecer o assunto dos documentos esquecidos. Há uma pausa, sem falas. Até que se torna a escutar o velho:

— *O Doutor continua aí?*

— *Estou aqui, sim. Eu já aí vou.*

— *Me desculpe a linguagem, Doutor, mas tem graça um tipo apagar as velas de aniversário com uma boa bufa.*

Os homens, em geral, não envelhecem: apenas ficam mais velhos. Só os pobres é que ficam realmente velhos. Os ricos conservam-se, bem ou mal. É o que vai dizendo Bartolomeu, oculto no fundo do corredor.

— *O doutor que não entre. Eu irei aí quando a sala estiver pronta para a minha festa.*

Dona Munda não responde aos gracejos do esposo. A mulher vai enovelando os nervos, numa crescente tensão.

— *Você me desculpe, marido Bartolomeu, mas eu não vou mexer uma palha para organizar essa festa de anos.*

— *Não estou a ouvir nada.*

— *Se quer festa, trabalhe para ela. Não tenho alma para bolos e balões.*

— *Às vezes, me dá um zumbido no ouvido, Doutor. Já lhe falei nisto, não falei? Por exemplo, agora que a minha mulher está falando eu não escuto senão apitos.*

Bartolomeu, então, ordena: eles, agora, que se aproximem. A esposa e o visitante obedecem. Munda segue adiante. À entrada do quarto, inesperadamente, o homem salta do escuro e envolve-a num violento abraço. Aperta-lhe os braços, magoa-a enquanto sussurra:

— *Mundinha, Mundinha, temos revolta popular?*

— *Deixe-me!*

— *Pois vai fazer bolos e doces e embelezar a sala e mandar convites e tudo o que eu disser para fazer...*

— *Está-me a aleijar, marido.*

— *É você que se está a aleijar sozinha.*

O médico retrai-se. Estava habituado à nuvem escura pairando sobre a família. Agora que a violência eclodira ele não sabe como reagir.

— Pois agora me vai explicar, bem explicadinho, por que motivo você anda sempre a fechar os cortinados...
— Não sou eu que fecho.
— Ai não? Será quem, então? Será aqui o nosso Doutorinho?
— Não sou eu, marido. Juro. Eu encontro-os assim, não sei quem os fecha...
— Está sempre tudo escuríssimo aqui dentro, parece-me que estou embalado num caixão... O que é que você pretende com esta escuridão?
— Deixe-me o braço. Doutor, me ajude!
— O Doutor não se mete, estes são assuntos de marido e mulher..., não é verdade, Doutor Sidonho?

O médico está de olhos baixos, um cheiro proveniente da sala o convoca, salvando-o do embaraço:

— Alguma coisa está a queimar!

O médico grita e corre para a cozinha para retirar o ferro de cima da tábua. Ergue um pedaço de tecido, todo chamuscado e murcho.

— Queimou a minha camisa, mulher! — exclama o velho.

A fúria de Bartolomeu revela o turbilhão em sua alma: não tinha sido uma peça de vestuário que tinha ardido. Era bem mais do que isso. A queimadura golpeara-o a ele. Mais grave ainda: tinha sido punido por quem lhe devia total devoção.

Sidónio Rosa regressa ao quarto, cauteloso, a falecida camisa pendendo-lhe do braço. No canto mais sombrio, Munda está derrotada, alma num farrapo e voz num fiapo:

— *Peço desculpa, marido, me perdoe...*
— *Era a camisa que eu ia levar para a minha festa.*
— *Eu lhe arranjo uma nova camisa. Peço a Deolindinha para lhe trazer uma camisa de colarinho e tudo.*
— *Deolindinha?*

Ele está suspenso, flutuando dentro de si. A esposa espreita, com receio, a fervência no peito dele. E insiste, apaziguante:

— *Deolinda vai trazer uma camisa tão bonita que você nunca sonhou.*
— *Não sei, mulher, eu já não sei nada.*

A fala dele era o doce áspero: a areia da língua do gato. Finalmente, a sua raiva se vai dissolvendo. Evolui pelo aposento enquanto vai repetindo, em jeito de prece: "Deolinda, Deolinda por que não volta?".

Munda parece que o vai amparar mas, depois, abraça-o e permanece nos braços dele, cabeça baixa entre vergonha e culpa. Aos poucos, o marido vai-se soltando, ombros desistidos:

— *Não vale a pena. O nosso amor envelheceu, mulher.*
— *E porquê diz isso?*
— *Agora, quando nos abraçamos, já nem choramos.*

Dona Munda retira-se, pés nocturnos pisando no silêncio, o corpo querendo desgravitar. Recebe do médico a chamuscada camisa e arrasta-a pelo chão como um despojo sem guerra. Sidónio permanece parado, estatuado num canto do quarto.

Bartolomeu Sozinho levanta a cortina, faz de conta que espreita pela janela, inspecciona no pulso um inexistente relógio.

— Deolinda, Deolindinha. Onde andará, a essa hora, a minha filha? Você sabe, Doutor?

— Eu, como haveria de saber?

O fósforo estremece-lhe na mão. Deixa que arda quase até ao fim. Só então acende o cigarro.

— A minha mulher falou alguma coisa?

— Alguma coisa, como?

— Do passado, da família... O senhor sabe, as famílias são caixas de histórias, segredos e mentiras.

— Não. A sua esposa nunca me contou nada de especial.

— Nunca falou em nada que se passou entre mim e a minha filha?

— Nada, nunca.

— É que a cabeça dos filhos fabricam fantasmas, coisas imaginadas. E acusam os pais de crimes que nunca chegaram a existir.

— Isso é normal, em Portugal é a mesma coisa.

— Eu confio em si, Doutor. E não é cem por cento. É tudo por cento.

O português sorri. "Deve ser ironia", pensa. "O sacana do velho já sabe dos meus segredos." Inspirando uns goles de coragem, Sidónio passa ao ataque:

— Ontem esqueci-me da minha pasta aqui, no seu quarto.

— Uma pasta? Não é possível, esqueceu-se num outro lado, eu hoje arrumei tudo, não encontrei nada.

— *Deixei, tenho a certeza.*
— *Não deixou. Digo-lhe que não deixou.*

A intransigente certeza do mecânico é tal que o português já não tem mais dúvida: os papéis haviam sido devassados, Bartolomeu invadira a intimidade do seu passado.

— *Um remédio!* — murmurou.

De repente, o medo lhe fazia surgir o indizível vaticínio: um remédio, eis o que ele necessitava, encontrar com urgência um remédio que tirasse de vez a tosse do velho. Reprime o pensamento, sufoca a palavra que teima em emergir no fundo da alma: um remédio, sim, um remédio que tornasse dispensáveis todos os outros remédios.

Tenta perscrutar o rosto de Bartolomeu, mas o velho, absorto, inspecciona as próprias pernas trémulas. Tenta erguer-se, os joelhos sofrem vertigens. Sacode a cabeça em protesto contra o destino. A sequência, lamenta-se ele, devia ser: morrer primeiro, envelhecer depois.

— *Ajude-me a sentar na cama.*

Apoiado no ombro do visitante, o velho se arrasta, lamuriando sempre. Àquela hora já não tinha corpo.

— *O senhor está dispensado dos serviços. A esta hora eu sou só alma.*

Sidónio olha a figura esquálida do paciente e pensa que talvez ele esteja certo: tanta magreza, num organismo quase sem órgãos, pode albergar doença? Desengana-se, logo a seguir: aparatosamente, o velho esfrega com afinco os testículos, a mesma mão que andarilhou por dentro dos calções roça-lhe agora as amplas narinas:

— *Cheiram a naftalina. Os meus tomates cheiram a naftalina.*

Noutra circunstância o médico sentiria vontade de rir, mas, agora, a tensão converte o riso num esgar.

— *Que se passa, Doutor Sidonho?*

— *Estou preocupado com o desaparecimento dos meus documentos.*

— *Vão aparecer, Doutor. Quando não procurar, eles vão aparecer. A não ser que os tenham roubado aí na rua...*

— *Terra de ladrões.*

— *Diga?*

— *Não disse nada.*

O português está derreado, irreconhecível. Costas coladas à parede, os olhos vão passando o quarto a pente fino. E, de novo, a maléfica ideia de um definitivo remédio lhe vem à mente.

— *Sabe uma coisa, Bartolomeu: acho que o senhor tem razão. Eu preciso de prescrever uma nova medicação. Uma terapêutica de choque.*

— *Terapêutica de choque? Tenho medo dessa linguagem, Doutor, parece um discurso militar...*

— *É que estou preocupado com essas tonturas, esses seus esquecimentos.*

— *Quais esquecimentos?*

Ficam em silêncio. "Cabrão do preto", pensa o português. E logo se envergonha do pensamento. Raio de lapso racista, como é possível ter pensado uma coisa destas? Talvez seja melhor retirar-se, deixar que o ar fresco lhe esfrie os nervos. Escuta, então, as palavras ininteligíveis que o doente rilha entre os dentes.

— *Mezungu wa matudzi.**
— *O que disse?*
— *Falei na minha língua.*
— *A sua língua é o português!*
— *Como diz, senhor Doutor? Ini nkabe piva, taiu.***
— *Desculpe, não é isto que queria dizer. Mas por que deixou de falar comigo em português?*
— *Porque eu não sei quem o senhor é, Doutor Sidonho.*

Um silêncio tenso e espesso torna o quarto mais pequeno. Bartolomeu Sozinho fala de costas voltadas, incapaz de enfrentar o estrangeiro.

— *Esta noite sonhei consigo... Está a ouvir?*
— *Escuto, sim.*
— *Sonhei que o senhor entrava no meu quarto. Trazia uma seringa na mão. Afinal, junto à luz, percebi que não era uma seringa: era uma pistola.*
— *Uma pistola?*
— *Fantástico, não é, Doutor?*
— *Acho estranho.*
— *Talvez não seja tão estranho assim, se pensarmos que os seus antepassados traziam pistolas e espingardas para nos matar, a nós, africanos.*

---

* *Mezungu wa matudzi*: expressão que significa "Porcaria de branco!" (língua chisena, falada no Centro de Moçambique).
** *Ini nkabe piva, taiu*: expressão que significa "Eu não entendo" (língua chisena).

— *Tenho tanto a ver com essa gente como você.*

— *Calma, Doutor. Não se enerve, são factos históricos...*

— *Desculpe, meu caro, mas estou muito cansado e esta hora já é tardia para factos históricos. Com licença, quero voltar para a pensão.*

Espera que Bartolomeu se afaste do caminho, mas o velho mantém-se, impávido, barrando a saída.

— *Dá-me licença, eu preciso sair. Está a ouvir, Bartolomeu?*

— *Viu? Voltamos outra vez ao passado. O senhor como é que me chamou?*

— *Como é que o chamei? Ora essa, chamei-o de Bartolomeu. Não é o seu nome?*

— *O meu nome é Bartolomeu Augusto Sozinho. Não é só Bartolomeu. O senhor nunca me chama de Bartolomeu Augusto Sozinho.*

— *Você também me chama apenas de Sidónio.*

— *Doutor Sidónio. Eu lhe chamo de Doutor Sidónio.*

Para o doente, não era sequer esquecimento. Era um rapto. O médico roubava a sua identidade maior, o seu nome de raiz. Era assim que faziam com os escravos, já o seu avô lhe falara desse furto.

— *Por amor de Deus, primeiro pistolas, agora nomes...*

O médico força o caminho. Quer sair, quer respirar. Ao abrir alas, empurra, sem querer, o velho que se estatela no chão. O médico tenta ajudar a que se reerga. O orgulho de Bartolomeu, contudo, não esmoreceu, mesmo em corpo frágil:

— *Deixe-me!*
— *Apoie-se em mim.*
— *O senhor me empurrou e, agora, me quer ajudar?*
O português sai. Passa junto ao muro por baixo da janela do quarto de Bartolomeu quando, de repente, um clarão o atinge no rosto. É um golpe de labareda, soprado num milímetro de segundo, como picada de uma serpente de fogo. Desemparelham-se os olhos ao médico, enroscado nos próprios braços como se tivesse aberto, a seus pés, a fenda dos infernos.

Tombado no chão, percebe: é um pano que arde e se agita em ameaçadoras chamas. Depois, a visão ganha foco: é a bandeira da Companhia Colonial de Navegação que se consome no improvisado mastro da janela. O velho, rouco, enlouquecido, grita:

— *Acabou-se a merda da liberdade! Acabou-se a puta da nação!*

Aqueles afrontosos gritos roucos ainda ecoaram por um tempo pelas nebulosas ruelas, fazendo estremecer o pequeno sossego da Vila. Todos sabiam quem iria levar a peito aquele ultraje, mas ninguém sabia exactamente a que nação e liberdade o velho Bartolomeu se referia. Talvez a ofendida nação fosse o pequeno quarto onde ele se havia enclausurado. E a almadiçoada liberdade fosse a possibilidade de visitar o passado e voltar a viajar em falecidos navios coloniais.

Capítulo onze

Na penumbra da sala, Bartolomeu Sozinho aguarda, derramado no sofá. Vê a esposa entrando, braços carregados de roupa. "Já foi bonita", pensa ele, "agora pesam-lhe os flancos como a essas mulheres que surgem de traseiro mesmo que se apresentem de frente." Bartolomeu recorda-se dos primeiros momentos do namoro, os iniciais encontros em que se tomou de encanto. E até discutiu o assunto com Sidónio Rosa, o médico português.

A beleza das mulheres, dizia um, é como esses dourados espinhos com que os bichos paralisam as vítimas. E os dois se aprovaram no seguinte: não existe mulher bonita, cuja beleza seja feita apenas de natureza. Existe, sim, o sentir da beleza. Mundinha não era a mulher mais bonita do Universo. Bartolomeu é que nunca olhara uma mulher de modo tão encantado. Esse amor crescera ao ponto de ele gostar dos pequenos ódios que ela lhe dedicava. Que mais ele podia continuar gostando?

— *Isto, caro Sidónio, não é amar: é amardiçoar.*

Agora, Bartolomeu Sozinho está no escuro da sala, como um predador em preparo de emboscada. Vai espreitando a esposa que circula, pesada, pelos cantos da sala. O que fará ela, remexendo em cima dos móveis? A suspeita agita o peito do velho esposo. Procurará, a mando do médico, a pasta que ele esquecera no dia anterior? Cumpria ocultas instruções do português?

A amarga dúvida faz-lhe vir o fígado à boca, engole esse fel com um esgar. Mas é falso alarme. Mundinha apenas exerce os seus afazeres domésticos. Abre os armários, arruma no vazio das prateleiras o vazio que está dentro dela. Espaneja na parede um calendário do ano transacto e passa um pano húmido pela moldura da ceia de Cristo.

O marido não percebe se ela está cantarolando ou se está chorando. Num instante, o alvoroço se reinstala nele: a esposa dedica-lhe lágrimas de pêsames? Ou será que lagrimeja saudades não dele, mas de um tempo agora emparedado?

— *Está a chorar, mulher?*

Munda refaz-se do susto, mão no peito. Suspira, entre alívio e enfado.

— *Saiu da caverna, marido?*

— *Eu é que perguntei, primeiro. Perguntei se estava a chorar...*

— *A chorar, eu?*

— *Não, se calhar sou eu. Sim, quem sabe sou eu que choro e, como estou ficando surdo, já não me escuto chorar?*

— *Um dia que eu chorar, meu velho marido, será para nunca mais parar.*

Guardava tanta tristeza que desataria não um rio, mas uma torrente em que se afogaria de vez. E se afogaria ele também, não haveria navio que o salvasse. Mas era mentira. Porque, na verdade, Munda chorava. Fazia-o a horas certas, sempre no mesmo lugar sagrado. Bartolomeu Sozinho bem o sabia.

— *Tristezas, tristezas. Foi você a culpada, me atirou para os braços de outras.*

— *Mais culpas!?! E ainda me queixo que você nunca me dá nada.*

— *Você não me amou o suficiente.*

— *Para si não há nunca o suficiente.*

Não era apenas para ele que não bastava. O suficiente é para quem não ama. No amor, só existem infinitos.

Inconformado, o marido sopra impaciências como se fumasse a própria atmosfera. A eloquência da esposa sempre o deixou diminuído, e, nos momentos de aferição de forças, a palavra dela sempre o vergara, inferiorizado. Falar bem é um perfume que ela gosta de usar, mas que ele não lhe ofereceu.

— *Vim aqui para lhe fazer uma pergunta: você nunca desconfiou desse médico?*

— *Você, Bartolomeu, você sempre cuspiu no prato da comida. Com esse português, nós só temos razões para ficar agradecidos.*

O velho marido sacode a cabeça: Munda é católica fervente, como ele mesmo diz. Não importa quantas vezes o emendaram, ele insiste no qualificativo "fervente". Porque, ajoelhada frente à cruz, ela confessa sentir o sangue ferver. Bartolomeu se pergunta: ali, tão longe, haverá anjo que se atreva? E mais ele se duvida: o que andará a esposa a pedir a Deus? De joelhos, ela deve pedir pelos dois, marido e mulher e, quem sabe agora, também inclua o cabrão do Doutor, tão familiar que ele já se tornou.

— *Pois eu desconfio, Mundinha. E tenho razões. Nunca ninguém, nem lá, na cidade dos ricos, teve assistência tão domiciliária.*

— *Um ingrato é o que você é.*

— *Já se perguntou, Mundinha: que sorte nos veio calhar aqui, neste fim do mundo, a nós que nunca tivemos Doutor nenhum?*

— *E não merecemos essa sorte?*

— *Nunca nos calhou coisa nenhuma, agora tomba do céu este português cheio de simpatias?!? Hein, Mundita, ou foi você que andou a cravar Deus com esses especiais favores?*

— *Deus não se crava, você nem tem respeito pelo sagrado.*

Ela sabe que pouco valem argumentos: Bartolomeu sempre se recusou rezar. "Com os deuses falamos", argumenta ele. A palavra aberta, sem texto, criando o divino no improvisado diálogo. "E mais", defende o velho, "rezar é sempre uma declaração de culpa."

— *Começamos, submissos, por nos declararmos filhos Dele. Mas, na verdade, o que queremos é ser Deus. É por isso que a reza é sempre um pedido de desculpas. Está a perceber, Mundinha?*

— Você leu isso em algum lado, marido. Isso é complicado demais para sair da sua cabeça...

— Não é que recuse a oração: eu aproveito é para rezar enquanto durmo.

— Brinque, brinque. Depois, no Juízo Final, quero ver o que vai responder...

— Para mim, o Juízo Final é todos os dias.

— Vá é tomar os medicamentos.

— Quer saber? Deitei esses medicamentos todos na sanita. Nesta minha boca já não entra mais nada.

— Está maluco? Depois, queixe-se que morreu...

— E se eu lhe disser que esse Doutorzeco não é a pessoa que você pensa?

— Tenho que fazer, Barto. Não se esqueça de que sou eu quem dá de comer à casa.

— Não vai para lado nenhum sem me responder a uma pergunta.

— Mais uma?

— Quero saber quem destapou os espelhos.

— Fui eu. Foi para limpar, esqueci-me de os cobrir de novo.

— Munda, Munda: não será que você me anda a enganar? Não será que anda a puxar lustro às belezas?

Sem responder, Dona Munda bate atrás de si a portada de rede. O velho reentra na obscura solidão do quarto. Pela janela vê a esposa afastar-se para o pátio e começar a pendurar a roupa lavada. E repara que o médico está chegando, avançando respeitosamente entre os lençóis brancos. Depois, ele fecha as cortinas.

Um sentimento de ciúme, ferrugenta lâmina, corrói a sua alma.

— *Eu digo o que faço com as belezas, grande puta...*

A ruminação da raiva é interrompida por um raspar na porta. O mesmo lacónico "porquê?" serve de licença para que Sidónio Rosa entre e se arrume, a ele e aos seus apetrechos.

Os móveis estão cobertos de pó, a janela tinha estado aberta, o velho Bartolomeu não resistira a escutar a conversa no pátio.

— *Diga-me, meu caro: porque não pergunta "quem é?"*

— *É que eu não espero nunca ninguém.*

— *Devia esperar, porque eu trago uma coisa para lhe oferecer.*

— *Não preciso de nada.*

As mãos estendidas de Sidónio Rosa suportam uma caixa de cartão. Bartolomeu permanece impassível, olhar preso na parede em frente. O português suplica:

— *Aceite, por favor, é um modo de lhe pedir desculpa por aquilo que disse ontem.*

Ante a impassividade do mecânico, o próprio português desfaz o embrulho. Retira da caixa uma camisa branca. Estende-a como se hasteasse uma vitoriosa bandeira.

— *Deixe-me ajudá-lo a vestir. Levante os braços.*

Passado um tempo, o velho amolece. Ergue-se, braços em Cristo, o corpo bamboleando ao sabor dos impulsos de Sidónio.

— *Está óptima, veja-se ao espelho.*

Bartolomeu reage com indiferença. Sabe que os espelhos do quarto estão cobertos, mas mesmo assim perfila-se durante uns segundos. Camisa solta, desabotoada, volta a sentar-se e permanece alheio e espantalheado, como se assim tivesse estado desde que nasceu.

— *Ontem, descobri que Munda destapou os outros espelhos da casa.*

— *E então?*

— *E então?! Essa cabrita anda a cuidar das belezas. Eu pergunto: para quem é que ela se está a produzir?*

— *O senhor sabe: as mulheres embelezam-se para elas próprias.*

— *Conversas. Há sempre um alguém...*

— *Quem sabe esse alguém é você mesmo, meu caro Bartolomeu?*

— *Não me faça rir que me dá tosse.*

— *Talvez Munda se esteja a preparar para ser Mundinha. Quem sabe se esteja a fantasiar para lhe surgir menina, toda Mundita?*

Ombros encolhidos, o velho olha pela janela. E se interroga: se ele não queria mais ver o mundo por que motivo espreitava tanto a rua? Lá fora, a esposa está recolhendo água do poço. Bartolomeu desvia o rosto:

— *Grande cabra, sempre a trabalhar e eu, aqui, todo descansado. Tudo isso apenas para me sentir ainda pior.*

— *Por que razão não vai lá ajudar a carregar os baldes?*

— *A gaja havia era de me lançar ao poço...*
— *Não há poço que não tenha um crime para contar* — acrescenta. Que os segredos, na Vila Cacimba, não se enterram nunca em cova. Ficam em buraco aberto como ferida que nunca ganha cicatriz.

Capítulo doze

— *De onde tu és?* — perguntou Deolinda.
— *Sou da Guarda.*
Ingénua malícia no olhar, ela sussurrou no ouvido de Sidónio Rosa:
— *Tu és o meu anjo-da-guarda.*
O riso dela ganhou espessura, inundando-lhe o corpo. Depois, o corpo já não lhe bastava e ela se encostou nele. O português viu as suas defesas desmoronarem. Os braços dele envolveram-na, a medo. Quando deram conta, estavam enleados, sem saber que parte pertencia a um e a outro. A Praça do Rossio, em Lisboa, ficou, de repente, despovoada. Um homem e uma mulher trocavam beijos e o seu amor desalojava a cidade inteira.
— *Tens medo de fazer amor comigo?*
— *Tenho* — respondeu ele.
— *Por eu ser preta?*
— *Tu não és preta.*
— *Aqui, sou.*
— *Não, não é por seres preta que eu tenho medo.*
— *Tens medo que eu esteja doente...*

— *Sei prevenir-me.*

— *É porquê, então?*

— *Tenho medo de não regressar. Não regressar de ti.*

Deolinda franziu o sobrolho. Empurrou o português de encontro à parede, colando-se a ele. Sidónio não mais regressaria desse abraço.

— *Que olhar é meu nos olhos teus?*

Nessa noite se solveram, mãos de oleiro, salvando o outro de ter peso. Nessa noite o corpo de um foi lençol do outro. E ambos foram pássaros porque o tempo deles foi antes de haver terra. E quando ela gritou de prazer o mundo ficou cego: um moinho de braços se desfez ao vento. E mais nenhum destino havia.

— *Amar* — disse ele — *é estar sempre chegando.*

Um ano depois, sentado sobre um banco de pedra, o português sente estar ainda chegando a Vila Cacimba enquanto convoca as memórias do encontro com a mulata Deolinda. O que faltava, agora, para que ele se sentisse já chegado?

Lembrou os versos que ele próprio rabiscara na ausência de Deolinda: "Eu sou o viajante do deserto que, no regresso, diz: viajei apenas para procurar as minhas próprias pegadas. Sim, eu sou aquele que viaja apenas para se cobrir de saudades. Eis o deserto, e nele me sonho; eis o oásis, e nele não sei viver".

Na poesia, haveria oásis e desertos. Mas, em Vila Cacimba, havia apenas uma praça onde um médico estrangeiro se banhava nas lembranças de sua amada. É no meio dessa praça que esse médico aspira o ar fresco e sorri de satisfação: no seu país é Outono e, àquela hora, ele estaria submerso entre o frio cinzento.

Esses são os pensamentos de Sidónio Rosa enquanto se dirige a casa dos Sozinhos. Desta vez, porém, não entra. Está um dia demasiado luminoso para ele se adentrar naquele escuro. Ronda a casa, em bicos de pés, e bate na janela do quarto de Bartolomeu. Ensonado, o rosto do velho, inquisitivo, enfrenta a claridade.

— *Deixe a janela aberta que é para respirar este arzinho da manhã* — convida o médico.

— *É uma coisa boa desta nossa Vila: o ar aqui é muito abundante. Isto não é atmosfera. Isto aqui, caro Doutor, é artmosfera.*

Passa por eles um grupo de mulheres que saúdam apenas o médico, evitando olhar para o velho sem camisa que se debruça sobre o parapeito da janela.

— *Donas mal comidas* — resmunga Bartolomeu.

As mulheres da Vila não gostam das manhãs. É o tempo em que os maridos saem de casa. Para Dona Munda sempre fora o oposto. Durante toda a vida aquela tinha sido a melhor parte do dia. A ausência de Bartolomeu só lhe trazia alívio. Agora, tudo se invertera. O marido era uma presença obsidiante, uma espécie de corcunda que pesava sem descanso sobre o seu dorso.

— *Gosto de sentir a Vila, assim cedinho* — disse o português. — *Gosto de ver como se vai cobrindo de gente.*

— *Odeio gente* — rosnou Bartolomeu.

— *Não tarda que os passeios se encham de vendedeiras.*

— *Estes não são gente da Vila. Os que o senhor vê por aqui são os que ainda não saíram.*

— *Hoje está um dia límpido numa vila que se chama Cacimba. Porquê estragar esta luz, meu caro paciente?*

— *Eles não saíram da Vila. Eu não saí da Vida.*

O médico olha o céu e abre os braços como se quisesse abraçar a imensidão. A intenção do gesto é clara: nada alterará o seu bom humor.

— *Não quer mesmo entrar, Doutor?*

O português argumenta que está de passagem, sem função profissional. O seu afazer, naquele dia, era apenas ser feliz.

— *Eu tenho uma curiosidade muito impessoal* — diz Bartolomeu, após uma pausa.

— *O que quer saber?*

— *Você não veio para África apenas por causa de Deolinda.*

— *Então, foi porquê?*

— *Ninguém sai da sua terra só por causa de uma mulher. Você saiu por outro motivo.*

— *E porquê?*

— *Por exemplo, porque não era feliz.*

Saímos para o estrangeiro quando a nossa terra já saiu de nós. Ele, Bartolomeu Sozinho, sabia disso, calejado que estava de remotos paradeiros.

— *Eu não saí de Portugal. Apenas vim buscar uma mulher.*

É assim que responde, mas, de si para si, reconhece: na sua terra não era feliz. Mais grave ainda: ele não mais sabia o que era o desejo de ser feliz. Em Lisboa estava entre família, no meio de tanta gente conhecida. Quando saiu para África receou que passaria a sofrer de solidão. Todavia, agora sabia: há muito que estava só. Solitário entre parentes e conhecidos. Ou como diz Bartolomeu, há muito que Sidónio Rosa deixara de ter quem o abençoasse.

— *Mundinha disse que o seu pai morreu aqui, em África. É verdade?*

— É verdade — admitiu o português —, *não me vai dizer que venho visitar o espírito dele.*

— *Os espíritos não se visitam. Nós é que somos visitados.*

— *De qualquer modo, o corpo do meu velho não mora aqui. Transladaram-no para a terra dele.*

O pai de Sidónio tinha-se exilado pouco tempo depois de ele ter nascido. Acreditava estar a fugir do fascismo. Mas a ditadura era apenas a máscara daquilo que ele fugia. Escapava do vazio que está para além dos regimes políticos. Desse mesmo vazio estava fugindo, quarenta anos depois, Sidónio Rosa.

— *Pois eu lhe digo: dói mais termos que fugir da democracia...*

— *Isso não sei, eu fujo apenas da minha mulher, e já me chega por motivo.*

Por outro lado, o reformado não se importava nada de fugir das Suacelências todas que pululavam no país.

Desses, como ele diz, a quem o cu cresce mais que a cadeira.

— *Noutro dia, você zangou-se comigo porque eu não o chamava pelo seu nome inteiro. Mas eu conheço o seu segredo.*

— *Não tenho segredos. Quem tem segredos são as mulheres.*

— *O seu nome é Tsotsi. Bartolomeu Tsotsi.*

— *Quem lhe contou isso? De certeza que foi o cabrão do Administrador.*

Acabrunhado, Bartolomeu aceitou. Primeiro, foram os outros que lhe mudaram o nome, no baptismo. Depois, quando pôde voltar a ser ele mesmo, já tinha aprendido a ter vergonha do seu nome original. Ele se colonizara a si mesmo. E Tsotsi dera origem a Sozinho.

— *Eu sonhava ser mecânico, para consertar o mundo. Mas aqui para nós que ninguém nos ouve: um mecânico pode chamar-se Tsotsi?*

— *Ini nkabe dziua.**

— *Ah, o Doutor já anda a aprender a língua deles?*

— *Deles? Afinal, já não é a sua língua?*

— *Não sei, eu já nem sei...*

O português confessa sentir inveja de não ter duas línguas. E poder usar uma delas para perder o passado. E outra para ludibriar o presente.

— *A propósito de língua, sabe uma coisa, Doutor Sidonho? Eu já me estou a desmulatar.*

---

* *Ini nkabe dziua*: expressão que significa "Eu não sei" (língua chisena).

E exibe a língua, olhos cerrados, boca escancarada. O médico franze o sobrolho, confrangido: a mucosa está coberta de fungos, formando uma placa esbranquiçada.

— *Quais fungos?* — reage Bartolomeu. — *Eu estou é a ficar branco de língua, deve ser porque só falo português...*

O riso degenera em tosse e o português se afasta, cauteloso, daquele foco contaminoso. Quase colide com Suacelência que acaba de cruzar a estrada. O Administrador vem esbaforido e cumprimenta, de forma esquiva, os presentes. Detém-se sob a janela, aproveita a sombra para enxugar meticulosamente o afogueado rosto.

— *Então, Excelência* — inquire o velho Sozinho —, *tão cedo e já anda a chatear as moscas?*

— *Que se passa, Suacelência?* — pergunta o português, emendando a indelicadeza do seu paciente.

— *A rapaziada da banda eleitoral* — suspira, contendo uma emergente onda de fúria —, *a rapaziada fugiu com os instrumentos.*

— *Mas isso é um bambúrrio de azar. Então os bandos roubaram-lhe a banda?*

Ignorando o tom irónico da pergunta, o Administrador acena com gravidade. Não se tratava, segundo ele, de um simples furto. Aquilo era uma cabala política, manobra dos inimigos da Pátria.

— *Um feiticeiro conhece todos os feiticeiros...* — ironiza o velho Sozinho.

— *Por que não me respeita, Bartolomeu? A mim que fiz tanto pelo país?*

— *O país preferia que o senhor não tivesse feito nada.*
— *Por que não gosta de mim?*
— *Eu gosto da minha terra, da minha gente. E o senhor gosta de quem?*

Contudo, o Administrador já desandou, estrada fora, coxeando levemente. Bartolomeu e Sidónio ficam olhando a figura do dirigente desvanecer-se como se assistissem ao seu ocaso político.

— *Sinto pena dele* — admite o português.
— *Pois eu estou-me merdando para o gajo* — remata Bartolomeu.

Ri-se para reafirmar o desprezo. E logo lhe sobrevém um ataque de tosse que o deixa sem respirar.

— *Puta de vida* — diz —, *não vivemos se não nos rimos e depois morremos por nos termos rido* — e conclui, após recuperar fôlego: — *O Doutor acha que sou uma anormalidade?*

O médico olha para o parapeito e estremece de ver tão frágil, tão transitório aquele que é o seu único amigo em Vila Cacimba. O aro da janela surge como uma moldura da derradeira fotografia desse teimoso mecânico reformado.

— *Posso fazer-lhe uma pergunta íntima?*
— *Depende* — responde o português.
— *O senhor já alguma vez desmaiou, Doutor?*
— *Sim.*
— *Eu gostava muito de desmaiar. Não queria morrer sem desmaiar.*

O desmaio é uma morte preguiçosa, um falecimento de duração temporária. O português, que era um guarda-fronteira da Vida, que facilitasse uma escapadela dessas, uma breve perda de sentidos.

— *Me receite um remédio para eu desmaiar.*

O português ri-se. Também a ele lhe apetecia uma intermitente ilucidez, uma pausa na obrigação de existir.

— *Uma marretada na cabeça é a única coisa que me ocorre.*

Riem-se. Rir junto é melhor que falar a mesma língua. Ou talvez o riso seja uma língua anterior que fomos perdendo à medida que o mundo foi deixando de ser nosso.

Capítulo treze

O médico recebe o alerta: o velho Bartolomeu tinha saído de casa, cirandarilho pelas ruas, ninguém sabia dele. Os caminhos são longos quando se caminha apenas com as pernas. Há muito que a cabeça do mecânico está cativa, algures, longe do corpo. Daí os receios da sua inesperada surtida. Dona Munda, angustiada, joelhos por terra, suplicara:

— *Vá, Doutor, procure o meu marido, que ele já deve estar combalido nalgum beco sem a saída.*

O português assume a missão de resgate, segue pelos meandros da Vila no encalço do doente. O seu rasto é fácil de reconstituir, em todo o recanto Bartolomeu deixou sinais da sua passagem. Aqui e ali, o velho se tinha perdido e se havia dirigido aos transeuntes para pedir referências.

— *Onde é que você vive?* — perguntavam-lhe.

— *Eu não vivo, eu apenas moro* — respondia invariavelmente.

E todos se recordam da resposta, apontando o mesmo caminho por onde Bartolomeu havia descido poucas horas antes.

Em Vila Cacimba toda a via pública é privada, espaço de intimidades expostas, as moças trançando cabelos, as mulheres cozinhando, meninos defecando. Aqui e além, homens varrem os quintais com vassouras feitas de folhas de palmeira. Por que é que aqui, no meio de tão vastas poeiras indígenas, se varrem tanto os terreiros? O português não sabe a resposta. Em Cacimba, o quintal não é fora: é um assoalhado, uma parte da casa. Nem o médico suspeita o quanto ele está pisando em territórios sagrados, devassando intimidades familiares.

"Boa tarde, Doutoro!", ouve-se de uma varanda onde dois alfaiates dão uso a velhas máquinas de costura. Os rádios a pilhas estão transmitindo em volume máximo, convertendo a rua numa feira de domingo. A música é uma praça divina, privatizar o seu uso é pecaminosa ofensa.

À medida que se afasta dos recantos que ele tão bem conhece, Sidónio vai-se perdendo em labirínticas paisagens. As ruinhas se convertem em tortuosos atalhos, as pessoas deixam de falar português. O médico afunda-se num mundo desconhecido, fora da geografia, longe do idioma. O lugar perdeu toda a geometria, mais habitado pelo chão que por cidadãos.

Aos poucos, a estranheza dá lugar ao medo. Ali começa um continente que Sidónio Rosa desconhecia. Apercebe-se quanto a sua África era reduzida: uma praça, uma rua, duas ou três casas de cimento. Então, ele se compenetra de quanto deslocada surgia a sua pessoa e como, mesmo que não quisesse, ele muito dava nas gerais vistas. No fundo, o português não era uma pessoa. Ele era uma raça que caminhava, solitária, nos atalhos de uma vila africana.

De repente, Sidónio Rosa se dá conta de que nunca na vida teve que pedir por socorro. Sempre lhe pareceu ridícula essa súplica, a própria palavra "socorro!" lhe parecia demasiado silabada para ser gritada, mesmo em súbita e suprema aflição. Dava mais jeito o anglo-saxónico "help!". E pensou: "Gritarei por ajuda, se me atacarem". Depois, pensou: "E quem me vai escutar, mesmo que eu grite alto e bom som?".

— *Socorro!* — ensaiou de si para si, de modo a que ninguém escutasse.

Só então o médico se apercebe de que chegou ao fundo de um vale desabitado. A única construção é um velho barracão de zinco. Sidónio detém-se na entrada desse armazém abandonado. Atrás dele já se junta uma multidão. De entre o tenso silêncio dos mirones, alguém estende um braço acusador:

— *Ele está lá dentro! O velho está com uma catorzinha!*

O português aproxima-se, sozinho, e escuta libidinosos gemidos. Por respeito, ele se afasta, em recatado silêncio. E ali se deixa ficar imóvel. Não quer que se aperceba que não sabe o que fazer. Ele é médico, europeu, senhor de poderosas sabedorias. Os populares ficaram mais longe, num círculo expectante. E assim decorre um tempo sem nada mais decorrer. Até que se volta a escutar, vindos de dentro do barracão, lânguidos gemidos, sinais de que o velho não deixava seus créditos machos por mãos alheias.

Escutam-se risos, o português sacode a cabeça e sorri com indulgência. A situação lhe desperta lembranças dos seus namoros com Deolinda. Lembra-se do seu quarto em Lisboa, garras de luz arranhando a noite, um bater de pilão no peito. E a doce voz que repete:

— *Tu és o meu anjo-da-guarda.*

E a lembrança se desvanece. Aos poucos, os gemidos lhe vão parecendo algo diverso: dolorosos queixumes, primeiro; sofridos estertores, depois. Sidónio se questiona: o velho estaria nas últimas? Ao invés de namorar, estaria ele agonizando? O português aproxima-se da porta do armazém, chama por Bartolomeu. Não passa um instante e a mesma sacramental expressão atravessa o zinco:

— *E porquê?*

O que sucedeu dentro daquele barracão nunca ninguém saberá. Uma menina de serviços, se é que houvera, tinha, entretanto, saído pelas traseiras. Ninguém lhe escutou os passos, não deixou traço. O médico entrou no recinto vazio, ajudou o velho a erguer-se do improvisado leito, uma desfiada esteira.

— *Eu queria sentir o coração, faz conta eu me auscultava por dentro. Entende, Doutor?*

— *Entendo, mas podia ter avisado.*

— *Eu queria provar a mim mesmo que não estava morto.*

— *E correu bem?*

— *O amor corre sempre bem.*

O amor, dissera. A falta de convicção denunciava que queria dizer uma outra coisa. De qualquer modo, ele se sentia cumpridor da tradição. Dormira com uma moça tenra, ou como se diz na língua local: uma miúda ainda não quente. Agora, o médico podia ser dispensado. Ele já fora limpo, os fígados depurados, os sangues coados, os fluidos mais destilados que aguardente.

— *Devia fazer amor era com Munda, sua esposa.*
— *Isso depende só de si, Doutor.*
— *Como de mim?*
— *Lhe dê um remédio para atenuar a cabeça dessa teimosa.*
— *Mas que remédio?*
— *Ora, o senhor é doutor... Medicamente-lhe lá um xarope que faça a minha Mundinha me aceitar, quem sabe, às tantinhas, ela me volta a amar?*
— *Não há esse remédio. O senhor bem sabe...*
— *Sempre há um remédio para tudo.*

À saída do barranco, o velho se sustenta no ombro do médico, inspira fundo e fixa o olhar no alto das nuvens:

— *É isso, o céu?*

O velho duvidava, genuinamente? O médico inspeccionou-lhe o rosto, pelo canto do olho. Optou pela resposta cautelosa.

— *Sim, isso é o céu, lá em cima e mais em cima ainda, tudo isso é o céu.*
— *Quem me dera ser ave. As aves não envelhecem nunca.*

Suportados um no outro, vão tombaleando de regresso a casa. Ainda assim, o velho mecânico segue todo abotoado, exibindo a camisa que o médico acabara de lhe ofertar.

— *Não foi só ontem. Hoje também é o meu dia de anos* — diz com a vaidade que ainda lhe sobra do cansaço.

À medida que sobem a encosta, porém, o regresso se torna penoso, com frequentes paragens.

— *Eu sinto tonturas, Doutor.*
— *Tonturas ou vertigens?*
— *Qual é a diferença?*
— *Na tontura, sentimo-nos a rodar e o mundo está parado. Na vertigem, quem roda é o mundo.*
— *No meu caso, tudo roda, Doutor. Eu e mundo bailamos juntos.*

Já perto de casa são interceptados por uma mulher de mini-saia roxa e chapéu vermelho de abas largas. Dirige-se, afogueada, a Bartolomeu:

— *Ainda não me pagou, vovô.*

O velho olha a mulher de alto a baixo e exclama:

— *Deviam fardar as putas. Seria mais fácil identificá-las* — prossegue reclamando. — *Tanto servidor público enverga fardamento, por que razão se esquecem das prostitutas?*

— *Paga-me lá, vovô* — insiste a mulher.

— *Não tenho nada que pagar. Suca,* famba!***

---

* *Suca*: Interjeição de indignação ou repulsa: "Fora! Rua! Sai!".
** *Famba*: "Vai-te embora!", imperativo do verbo, *kufamba*, andar, em língua chisena.

Adivinha-se ruidosa querela e o médico interpõe-se, receoso que Dona Munda tome conta do escândalo. Em redor, os mirones já se reajuntaram.

— *Eu resolvo isto, minha senhora* — diz o português —, *venha amanhã ao posto médico.*

— *Quando se trata de dinheiro, amanhã é coisa que nunca chega. Eu preciso agora dessa mola.*

— *Por favor, fale baixo* — insiste o médico. — *Não vale a pena acordar as pessoas lá de casa.*

— *Só quero acordar o meu taco.*

— *Eu vou conduzir o vovô a casa* — sossega o português —, *e regresso já para falar consigo.*

— *Deixe, Doutor* — afirma Bartolomeu, em voz alta —, *deixe Roxinha fazer barulho que eu quero que Munda me veja, assim, todo jovem, todo cheio de peito.*

Sidónio Rosa empurra Bartolomeu para dentro de casa. Pouco depois, o médico regressa à rua, remexendo os bolsos, revirando a carteira. A mulher que o esperava não tira os olhos das notas que vão sendo contadas. Os olhos engordam quando a barriga emagrece.

— *Ele dormiu consigo?*

— *Comigo? Não, eu só sou intermediária. Vim da cidade montar um negócio de felicidades instantâneas aqui na Vila.*

— *Por que me está a devolver dinheiro?*

— *Só paga metade, esse velho passou o tempo só chamando o nome de uma outra.*

— *Uma outra? Não seria uma Munda?*

— *Não, ele chamava por uma tal Deolinda.*

Fosse por excesso de alma ou carência de pulmões, o português abriu a boca em falso. Como o peixe, longe de água. Quase não se escutava quando inquiriu:

— *Deolinda, tem a certeza?*

— *Até pediu que se fizesse escuro e que ela dissesse certas coisas... e pediu outras coisas muito estranhas...*

Sidónio Rosa viu abater-se sobre si o universo. O velho invocara, em pleno namoro, o nome de sua namorada? Sentiu-se subitamente envelhecido, carecendo ele mesmo de cuidados médicos. Reentra em casa, coração desfeito, cabeça atordoada. Encontra Bartolomeu sentado na cama, de peúgas subidas, pernas abertas.

— *Doutor, lhe peço, me dê um banho.*

— *Um banho?*

— *Munda sempre diz que cheiro a podre... Assim, eu mostro que sou mais higiénico que o papel...*

— *Sou médico, não sou enfermeiro.*

— *O que preciso agora não é médico, nem enfermeiro. Preciso de um amigo.*

E dirigiu-se, cambaleante, para a banheira. O médico ficou a vê-lo tirar as roupas, o seu vulto magro de imensa barriga num teatro de sombras chinesas.

— *Dar-me banho não é um pedido, é uma paga...*

— *Não entendo.*

— *Uma paga por um certo remédio que o senhor encontrou nesta família...*

— *Por um remédio?*

— *Um remédio chamado Deolinda.*
— *Eu nem conheço a sua filha.*
— *Eu não saio à rua, doutor, estou encarcerado neste quarto. Mas tenho ruas dentro de mim, ruas que saem de mim e me trazem notícias...*

Vai galgando para a velha banheira, mãos amparando-se obsessivamente nas bermas. Sidónio Rosa retira-se, deixando-o imerso na água barrenta.

Na sala, o português procura Munda por entre a penumbra. Num gesto mecânico, as mãos nervosas repuxam os cortinados. A luz penetra de um jorro, pequenos flocos de poeira esvoaçam, tontos, pela sala. Sentada na grande cadeira, a dona da casa levanta o braço para se proteger da inundação de claridade.

— *Dona Munda, está tudo bem?*
— *Tudo* — responde a mulher secamente.
— *Não me quer perguntar nada?*
— *Nada.*
— *Bartolomeu já voltou, está no quarto.*
— *Já ouvi.*
— *Peço desculpa, Dona Munda, mas eu fico impressionado... a senhora está aí, sentada e calada, nem quis saber se o seu marido já tinha regressado.*
— *Para mim, ele nunca chegou a sair.*

Sacode um pano de pó num gesto vazio. Depois, o pano tomba, num desmaio sem peso.

— *Perdi a vontade de limpar a casa.*

Se tivesse que arrumar não era a casa. Arrumaria, sim, as coisas que não existem, os sussurros e suspiros que se acumulam pelos cantos. Afinal, naquela casa não cheirava a coisa morta. Era o próprio cheiro da casa que tinha morrido.

— *Bom, eu vou ao rio. É a minha hora de ir. Depois o senhor me fala, Doutor...*

Todos os fins de tarde ela vai ao rio para chorar. Que tristezas a movem, ninguém sabe. Mas desde há semanas que aquele é o seu ritual religioso: no rio, ela permanece de pé, sob a cascata, encostada ao paredão de rocha negra. E chora.

— *O rio me dá colo de mãe. É só isso...*

O médico interrompe-lhe a saída. O rio que espere, o choro que aguarde. Há coisas urgentes para serem ditas sobre o marido, a sua intempestiva fuga, a sua recente chegada.

— *Tenho uma outra pergunta.*
— *Só gosto de perguntas que não pedem respostas.*
— *Em que momento é que deixaram de dormir juntos?*
— *É isso que quer saber? E porquê, Doutor?*
— *Por razões médicas. Quando é que deixaram de dormir juntos?*
— *Quando eu descobri tudo.*
— *Tudo o quê?*
— *Quando, ao namorarmos, ele disse o nome dela.*
— *O nome de quem?*
— *Dela.*
— *Deolinda?*

Munda acena que sim. Teria sido essa a única vez que Bartolomeu saíra verdadeiramente de casa. Saíra de casa, saíra dela, saíra do mundo.

— *Nunca mais quis que ele me tocasse.*
— *Falou com ele sobre o assunto?*
— *Não, para mim estava claro.*
— *Mas ele podia sonhar com Deolinda sem que fosse dessa maneira...*
— *Uma mulher adivinha. Uma esposa sente. Uma mãe sabe.*
— *É por isso que o quer matar?*

Acena afirmativamente e repete: "Sim, é por isso". Durante anos pensou que necessitava de ter mais provas do incestuoso adultério. Mas, no íntimo, Munda não queria provas. Receava que, ao ter a certeza da sua culpa, já não o quisesse mais castigar. Preferia, assim, que subsistisse uma poeira de dúvida sobre o assunto.

— *Outras vezes, porém, penso que já nem é preciso matá-lo. Ele deixou de saber viver.*
— *O seu marido apenas está doente.*
— *Essa doença não é por acaso. Fui eu que a encomendei.*
— *Sempre os feitiços... até a senhora, Dona Munda?!*
— *Você, Doutor, você também é um feiticeiro. Apenas tem medo dos seus poderes.*
— *Pois, eu digo uma coisa: se quiser matar, vai ter que usar os seus próprios meios.*
— *Pensando bem, talvez o meu marido tenha razão: eu tenho poderes de feiticeira. Por exemplo, adivinhei-o a si...*
— *Adivinhou-me?*

— *Sonhei que você vinha. E você trazia o remédio. O remédio, isto é, a morte...*

O médico empurra o ar com ambas as mãos como se afastasse mais do que uma simples ideia. A morte? Era suposto ser o inverso: ele trazia a Vida, a cura, a morte da Morte.

— *E agora, com licença, Doutor, eu vou. Por favor, feche as cortinas de novo.*

O escuro era uma espécie de vestimenta para a casa e de mortalha para os espelhos. Atravessada pela luz, a morada dos Sozinhos se expunha como uma obscenidade.

— *Agora, vou. O senhor não quer esperar-me, aqui?*

— *Onde vai?*

— *Já disse, vou ao rio, não demoro.*

— *Eu espero.*

— *Quando voltar, já choradinha, vou-lhe contar mais histórias sobre Deolinda. E lhe mostro mais coisas.*

— *Mais coisas?*

— *Mais fotos dela.*

Capítulo catorze

— *Dona Munda esteve aqui.*

A enfermeira recebe com estas palavras o médico português à porta do posto de saúde. Tão pouca coisa acontecia na Vila que a mais pequena novidade assumia a dimensão de uma revelação cósmica. Rosto arredondado pela alegria de ser dona de um assunto, a enfermeira adianta mais detalhes:

— *Acabou de sair há pouco. Deixou este bilhete para o senhor.*

O médico lê o papel rabiscado e, num ápice, o seu semblante se transtorna. Volta a despir a bata que acabara de colocar sobre os ombros.

— *Onde foi ela?*

— *Foi para casa, directamente. Levou a caixa das injecções e foi para casa dela.*

— *A caixa das seringas?*

— *Sim. Disse que o doutor lhe pediu para levar o material lá para casa dela.*

O médico sai correndo. Noutra altura ele teria reparado no luar. Naquela noite, o luar invadia as ruas vazias da Vila como a maré enche o mar. "É o tempo da Lua", diziam, como se o luar fosse um fruto de estação.

Desta vez, porém, o médico aproveita a luz coada apenas para estugar o passo. Quer evitar o crime. Entra de rompante pela casa dos Sozinhos, depara com a mulher na cabeceira do marido que jaz despido sobre o leito.

— *O que é que a senhora fez?*

— *Ele é que me fez a mim, veja o que estava na gaveta dele.*

Exibe uma fotografia de uma bela moça, mulata. É uma imagem de uma cerimónia de formatura, a moça enverga uma toga negra que contrasta com o adolescente sorriso.

— *É ela!* — insiste Munda.

Era ela: uma menina-amante, uma dessas com quem há muito o velho sonhava. O médico contempla a fotografia e lhe vem à ideia a condição dos meninos soldados: um mesmo mortífero destino aproxima os pequenos mercenários e as jovens prostituídas.

— *Eu sempre suspeitei, Doutor. Sempre. Quando Deolinda se queixou, eu tomei a defesa dele. Não foi por convicção, foi por medo de aceitar a verdade.*

Bartolomeu contorce-se e geme, arriscando tombar do leito. O médico senta-se a seu lado, ausculta-lhe os sinais vitais.

— *A senhora deu uma injecção ao seu marido?*

— *Não me lembro, Doutor.*

A respiração do velho, num instante, parece esvair-se. Esse entorpecimento dá lugar, depois, a uma conturbada agitação.

— *Deixe-me ficar com ele. Eu quero ficar a sós com o meu marido.*
— *Não sei, Dona Munda. Eu devo acompanhar o estado dele, é meu dever.*
— *Esse homem não tem estado nenhum. Veja bem a seringa, está intacta. Eu não lhe dei nenhuma injecção.*

O médico, desconfiado, olha o frasco à transparência. Mesmo depois da inspecção, ele guarda cautelosa reserva.

— *Por favor, me deixe a sós com Bartolomeu* — insiste a esposa.
— *Diga-me, não terá consigo uma outra seringa?*
— *Não tenho. Não lhe quero fazer mal. Deu-me uma vontade de matar, mas passou-me...*

Bartolomeu, entretanto, desperta. Os olhos mortiços vagueiam pelo recinto. E dirigem-se para a foto da moça que está pousada no colo da mulher. O homem se apercebe do tema de conversa entre o médico e a esposa. Munda ergue-se e, com mil cuidados, depõe a fotografia junto ao rosto do marido.

— *Fique com ela!* — sentencia a mulher.

Dá uns passos em direcção à porta. Antes de se retirar, vira-se para trás para, de olhos desafinados, fixar longamente o marido. Há nesse olhar um imperceptível adeus?

— *Mulher, venha aqui* — suplica o marido.
— *Não me chame de mulher. É um nome demasiado sagrado para a sua boca.*

Ele ergue-se arrastando consigo a roupa da cama e caminha com os pés presos entre os lençóis. A fotografia dança na sua mão esquerda, parece um profeta enlouquecido:

— *Munda: essa moça é Isa...*

— *Não quero nomes! Não traga nunca o nome dessa mulher para dentro desta casa...*

Saber do rosto e do nome de uma mulher rival: eis uma faca cujo punho é a mais afiada lâmina. Como desencravar da alma esse punhal sem se ferir ainda mais? Talvez, por isso, o inesperado salto dela, roubando a fotografia das mãos dele e rasgando-a com raiva. O homem permanece impassível, vendo a imagem destroçar-se em estilhaços. A lágrima espreita na voz, a baba lhe escorre da tremura dos lábios:

— *Essa moça é minha filha!*

O quarto fica suspenso no anúncio: mesmo os pedaços da fotografia rodopiam pelo espaço como súbitas mariposas.

— *É minha filha* — repete.

Ambos se sentam, incapazes de suportar o fardo da revelação. A mudez, naquele momento, não era a ausência da fala. Bartolomeu quer, de uma assentada, falar todas as línguas. Fica assim sem nada dizer até que, atabalhoado, começa a desenrolar as penas do seu passado. Aquela moça era a razão por que ele suportava as longas ausências, as humilhações de racismo no exterior, as amargas acusações de Suacelência.

— *Eu ia visitar a minha filha.*

E visitou-a de todas as vezes que o barco rumou para Lisboa até que, em Abril de 1974, ao sair de São Tomé, o navio recebeu a notícia da queda do regime colonial português. Ficaram à espera de mais notícias, inventaram uma paragem por motivos "de ordem técnica". Bartolomeu foi chamado ao comandante junto com os chefes da casa das máquinas. As instruções do capitão foram lacónicas:

— *Estamos parados por causa de uma avaria. Entendem?*

Não entendiam. Não havia avaria nenhuma. O que avariara tinha sido o regime dos poderosos. O semblante do comandante traduzia esse luto. De regresso ao fundo do barco, Bartolomeu cruzou com passageiros e marinheiros que festejavam, em absoluto contraste com a solenidade fúnebre da sala de comando.

— *É um fascista, o cabrão do comandante!* — rematou um colega.

Na casa das máquinas comemorava-se entre risos, cantos e bebidas.

— *Venha dançar, Bartolomeu. Venha festejar.*

— *Eu tenho que ir para o meu posto.*

— *Você não entende? Toda esta merda vai acabar, o seu posto, este barco, estas viagens, tudo isto vai terminar...*

Toda a noite se festejou. Na solidão do seu pequeno cubículo, porém, Bartolomeu Sozinho se afundou em tristeza. Sabia que nunca mais veria a filha. Quando, dois dias depois, desembarcou em Lisboa ele não foi logo à Amadora. Demorou-se pelas praças e ruas onde multidões desfilavam entoando palavras de ordem. No Rossio, Bartolomeu roubou cravos vermelhos que pendiam das portadas. Levou-os à filha, em sinal de um último adeus.

Aquela era a história que ele escondera anos a fio. A sua revelação deixou-o exausto.

— *Entende agora, Mundinha? Eu ia e vinha, nesse maldito barco, agora percebe porquê? Eu ia visitar a minha filha...*

— *Como se chama?*

Ele não responde, receia a tempestade. Munda renova a pergunta:

— *Diga o nome dela... dessa, de sua filha?*

— *Isa... Isadora.*

A mulher fica balbuciando o nome entre dentes. Repete-o como se o quisesse erguer contra o esquecimento. Bartolomeu ganha coragem:

— *Você me perdoa?*

— *Nunca!*

— *Eu sei o que você pensa. Mas essa mulher, a mãe dessa menina, nem existiu, Munda.*

E explica-se: a mãe de Isadora tinha sido o caso de uma única vez. Ela morrera logo a seguir. Bartolomeu soube-o na viagem seguinte quando a avó de Isadora o foi esperar ao cais, com a miúda ao colo. Ele, o pai, que fosse, tranquilo: a menina tinha um colo e um tecto.

— *Essa mãe nunca existiu* — repete o mecânico.

— *Não perdoo, não posso perdoar* — insiste Munda.

— *Eu lhe amei apenas a si, só a si. Nunca houve outra mulher.*

— *Você é mesmo estúpido, marido.*

— Pode-me insultar.
— Você não entende, Bartolomeu? Eu não quero saber de mulheres que você teve. Eu não lhe perdoo foi me ter roubado uma filha.

Fez uma pausa, como se lhe custasse emparelhar palavra e sentimento.

— Você me tirou essa menina.

Retira-se, com solenidade de rainha, repetindo como uma reza: *Isadora, Isadora, Isadora*. Envolto nos lençóis, Bartolomeu parece um monarca destronado quando ergue o braço acusador:

— *Essa mulher é feiticeira!*

O médico ajuda-o a regressar à cama. O velho ajeita-se no leito, puxando o lençol até ao queixo. Assim, de relance, parece não haver corpo debaixo do pano branco. Bartolomeu permanece assim, sem vida nem aparência, para, depois, de um sacão, repuxar o lençol e chamar:

— *Doutor?*

Os olhos chispalhudos cravam-se no português e, com rouquidão que ainda lhe sobra, o velho dispara:

— *Eu sei que você não é médico!*
— *Como?*
— *O senhor não é médico. Anda a mentir, só mais nada.*
— *Você viu... Devolva-me a minha pasta!*
— *O senhor não é médico e toda a Vila vai saber disso. E vai ser expulso daqui num abrir sem fechar de olhos...*

— *Eu apenas não terminei o curso... faltam-me cadeiras...*

— *Não é médico.*

— *Peço desculpa, eu apenas queria...*

— *Se fosse o inverso, pense bem, se fosse o inverso: o que sucederia a um africano que fosse apanhado na Europa com documentos falsos?*

— *Os meus documentos não são falsos.*

— *Tem razão, os seus documentos dizem a verdade. Você é que é falso.*

O médico acha que já ouviu tudo. Terá de enfrentar essa ameaça pendente, não há remédio para essa vergonha que atrapalha até o passo com que se retira do quarto.

— *Onde vai?* — pergunta ao médico em tom subitamente adocicado.

— *Vou para a pensão, não sei mais o que dizer.*

— *Não precisa ir embora.*

— *Eu já não tenho nada a fazer aqui.*

— *Esqueça o que lhe disse. Eu também esqueço o resto.*

— *Não sei, não posso.*

— *Tudo isto não tem importância: você não é verdadeiramente médico, eu não sou doente.*

Não era saúde que lhe faltava, estava morrendo por saudade da Vida. O mecânico inspecciona os nós dos dedos. As mãos, mais que o rosto, deviam ser preservadas desses sinais do tempo. Porque é nas mãos que nos iniciamos humanos. Das mãos ele se iniciou mecânico. Agora, só com muita dificuldade conseguirão cruzar-lhe os dedos sobre o peito, quando ele estiver no leito fúnebre. E, de novo, retoma a palavra:

— *Não tenha receio, fica um segredo entre os dois. Você, para todos nós, será sempre doutor. O meu doutor privado.*

— *Não sei o que dizer.*

— *Apenas uma coisa, nunca mais me pergunte o que me dói.*

Como podia descobrir o que lhe doía se todo ele era uma dor, a aflição de ser pessoa, num mundo sem lugar para pessoas?

— *O meu medo não é de morrer. O meu medo é ter de nascer de novo.*

Apenas por isso ele não dava azo a ter um fim. Deixava-se existir, com a mesma inércia que o crescer das unhas.

— *Eu lhe perdoo ter mentido sobre o seu curso. Não me posso esquecer é de outra coisa.*

Ergue-se a custo e retira do armário a esquecida pasta do médico. Aparatosamente deixa tombar todo seu conteúdo. Envelopes diversos se espalham pelo chão.

— *Você nunca enviou nenhuma das minhas cartas. Esta é que é a grande mentira!*

— *Eu estava à espera de ir à cidade.*

— *Pois agora vai jurar que envia esta carta, a minha carta de despedida de Isadora.*

— *Prometo que envio.*

— *Estes são os meus últimos cravos vermelhos.*

Capítulo quinze

Na praça, por entre a multidão, Munda vislumbra o médico, sentado na traseira de uma camioneta de caixa aberta. Motor ligado, fumos tingindo o ar, a viatura já se prepara para partir. Mãos apertando a capulana, Munda corre a abordar o português:

— *Vai-se embora, Doutor?*
— *Vou à cidade. Não aguento mais ficar aqui à espera, de braços cruzados. Vou procurar Deolinda.*

Ela amarra, desamarra e reamarra o pano na cintura, como se ajustasse as palavras ao corpo.

— *Escolheu bem a altura, Doutor.*
— *Para mim, esta é a altura certa. Tem que ser agora.*

Aquela era a altura certa, repete como se necessitasse de se convencer. Já tinha controlado o surto de meningite, ainda ontem tinha desmantelado as tendas da enfermaria. O que mais o prendia ali?

— *Escolheu bem a altura* — insiste Munda. — *Pois é exactamente hoje que Bartolomeu está muito pior.*
— *Muito pior?*
— *Quando voltar da cidade já o vai encontrar morto.*

— Dê-lhe o remédio que está em cima da cómoda.

— Bem sabe que ele não aceita que eu lhe dê remédios.

— Não entendo. Ainda ontem à noite ele me assegurou de que estava bem melhor.

— Ele está a morrer. Não passa de hoje.

— Não posso voltar lá a casa, Dona Munda. Ele não lhe disse?

— O quê?

— Não lhe disse que não sou médico?

— Mentira. Você é muito médico e ele é ainda mais doente.

O motorista buzina, impaciente. O tempo é dinheiro. Uns trocos, sim, mas, aqui, uma ninharia é uma fortuna. O condutor acelera o motor, os fumos adensam-se, as mulheres tossem e agitam as mãos para dissipar os oleosos ares.

— Por favor, Dona Munda, trate dele enquanto não volto. Agora tenho que ir.

— Vá, Doutor, vá. Talvez ele sobreviva, talvez Deus ainda tenha um pouco mais de paciência.

O pé nervoso volta a pisar o acelerador, a paisagem é engolida por um último manto de fumo. Dona Munda retira-se, vagarosa. Desliza em passo fúnebre como se os olhos do médico ainda a espreitassem para confirmar a transição de pré-viúva para viúva efectiva.

Ao chegar à sua ruela, Munda é surpreendida por uma voz familiar:

— *Pronto, aqui estou...*

— *Doutor Sidónio! Afinal, não foi?*

— *Vamos lá ver o marido, se é que o estado dele se agravou tanto assim...*

Ele mesmo abre as portadas e toma a dianteira com passo lesto. Avança apressadamente, gesticulando para reforçar o tom justificativo: "Era apenas um dia, lá na cidade, amanhã já estava aqui outra vez...". Seguindo-lhe a peugada, Munda coloca-o ao corrente: um agravamento súbito tinha ocorrido, o velho Bartolomeu vomitara como um esganado a noite inteira.

— *Diga-me, Dona Munda: a senhora administrou-lhe algum... algum remédio?*

— *Administrar? Gosto dessas palavras: administrou...*

— *Falo a sério, Munda. Deu alguma coisa ao seu marido?*

— *Ora, Doutor: a cobra morre de veneno?*

A pergunta marca o fim da conversa. Logo de seguida, a dona da casa vira costas, afastando-se, de regresso à cozinha.

O médico entra, sem bater, no quarto de Bartolomeu. O velho está sentado na borda da cama, uma bacia de metal entre os pés. Olha o médico com o cansado espanto de quem encontrou a chave mas não sabe da porta.

— *Agora é que já cheguei ao meu desparadeiro* — a voz envelhecida é quase sumida.

— *Vai ter que esperar, meu amigo* — sossega o médico.

— *Sou filho de camponeses. Passei metade da vida esperando* — e remata. — *Quem aprendeu a aguardar pela chuva, sabe esperar pelo céu.*

"Engano seu", pensa Sidónio. Há esperas que nunca se aprendem. Mesmo sob o dilúvio, continuaremos aguardando a chuva. É de outra água que esperamos.

O médico toma-lhe a temperatura, mão sobre a testa. Bartolomeu cede, cabeça tombando como se fosse uma carícia. Num instante, porém, os braços, repentinas serpentes, se cruzam sobre o ventre. Uma cólica o faz dobrar.

— *Estou a ser comido pela minha própria barriga.*
— *Deixe-me ver o que se passa.*

As mãos profissionais percorrem o redondo do ventre. O velho reage: tenta erguer-se, cambaleia e tomba, pesado, no sofá.

— *Isto hoje é que está uma tempestade... Tudo balança, já voltei ao* Infante D. Henrique.
— *Você tem de beber muitos líquidos.*

A negação é veemente: o médico que não pensasse em introduzir-lhe estranhezas no corpo. Retirasse-lhe, ao invés, excessos e excrescências, peçonhas que lhe malfaziam os fígados.

— *Há muito que o Doutor não me espreita o sangue. Já não quer vampirar-me?*
— *O sangue só se tira quando necessário.*

O velho ri-se. Sabia por que razão não lhe tiravam os sangues. As suas veias tinham ficado mais duras que qualquer agulha. Todas as entranhas se tinham convertido em matéria mineral, as artérias em osso e as veias em pedra. Por dentro, ele já estava sendo enterrado.

— *Doutor, preciso que me avise quando estiver mesmo chegando a minha hora.*

— *Está certo. Eu digo.*

— *É que eu tenho uma confissão grave a lhe fazer.*

— *Pode falar agora.*

— *Eu só falarei quando as coisas estiverem a dar para o morto.*

— *Torto. Dar para o torto.*

— *Corrija-me o sofrimento, Doutor. Não me corrija a gramática. Que eu, modéstia à parte, fiz estudos nos tempos coloniais.*

Depois remata em tom irónico:

— *E não foram apenas umas cadeiras, como fizeram outros que eu bem conheço...*

— *Disse que tinha uma confissão, estou à espera.*

O mecânico demora-se em esgares, a tornar visível que, sobre a carga das dores, vai pesando a decisão de falar. Por fim, voz tremente, confessa:

— *Faz dez anos que Deolinda foi violada.*

— *Deolinda? Violada?*

Ela tinha quinze anos, era uma menina. Desenvolta, sim, mas uma menina.

— *E quem a violou?*

— *Ela nunca lhe disse nada?*

— *Quem?*

— *Munda.*

— *É a primeira vez que ouço falar nisso.*

— *Esse é um medo meu, Doutor. O medo que ela se queira vingar em mim.*
— *Desculpe, ela quem? Deolinda ou Munda?*
— *A minha mulher.*
— *Mas o que é que o senhor tem a ver com isso?*
— *Ela pensa que fui eu. Por mais que jure que não, não desfaço esse fantasma.*
— Não sei o que dizer. Meu Deus, Deolinda, violada...
— *É por isso que não gosto de vos ver juntos...*
— *Juntos? Quem?*
— *Você e Munda.*

Quando surpreendia o português e Munda a bichanarem muito juntinhos, sempre lhe vinha à cabeça que andavam combinando modos de ajustar contas com ele.

— *Munda nunca me falou nisso.*
— *Ela vai-se vingar, eu sei.*

Um indevido remédio, uma dose excessiva, um doce veneno: silenciosos e perfeitos modos de o eliminar do mundo dos viventes. Ou quase viventes. Era esse o plano malvado que lhe roubava o sono.

O velho ergue-se, remexe na cómoda, acende um cigarro e aspira longa e ruidosamente. A tosse que se segue nem sequer é cavernosa. Dentro dele já não resta nenhum vazio. O peito dele já se fundiu com as costas.

O médico retoma as falas:
— *Vou ter que sair.*
— *Onde vai?*

— *Ainda hoje vou à cidade.*
— *Vai fazer o quê?*
— *Tenho coisas urgentes a tratar.*
— *Não vá, Doutor. Estou a dizer-lhe: não vá!*
— *Desculpe, mas há coisas minhas em que nem eu posso mandar.*
— *Pois eu lhe vou dizer uma coisa, chegue-se aqui que é um segredo.*

O português se aproxima, atónito. Debruça-se sobre o hálito ácido do doente.

— *Tome cuidado, Doutor.*
— *E porquê?*
— *Porque eu sei quem você é. E outros podem ficar a saber.*
— *Está a ameaçar-me, Bartolomeu Sozinho?*
— *Não sei se sabe o que aconteceu ao português que esteve aqui antes de si.*
— *O que vivia na pensão?*
— *Assaltaram-lhe o quarto e, não fosse Suacelência, tê-lo-iam morto à pancada.*

Acusaram esse outro português de ser traficante de órgãos.

— *Que nós aqui* — disse o velho —, *nós aqui não temos senão corpo.*

Sidónio está pálido, sobre ele recaem os mitos de um continente pleno de imprevisíveis perigos.

— *É o que nos resta: órgãos* — repete Bartolomeu.
— *Acha que alguém me pode confundir com um traficante de órgãos?*

O outro não responde. O médico decide retirar-se,

mas a sua decisão é lenta. Fecha a porta, fica encostado à parede do corredor. Escuta, no quarto, a surda tosse do velho. Fecha os olhos e sente algo a roçar-lhe o rosto. Esbraceja, assustado, derrubando um vaso que se quebra, deixando que a terra se espalhe pelo soalho. O médico apanha o feto já seco, sacode as raízes e transporta-o, sem entender porquê, para fora de casa.

— *O que faz, Doutor?* — inquire Munda, surpresa.
— *Esta planta está morta, Dona Munda. Os mortos não ficam dentro de casa.*
— *Essa planta pertence a Deolinda.*
— *Eu sei, ela falou dessa planta numa carta.*
— *Esse feto não morreu por falta de luz. Morreu de saudade de Deolinda.*

Enquanto pousa as folhas amarelecidas na pedra fria do pátio, o português pensa que nunca na vida semeou uma planta. Talvez ele fosse o único adulto, em toda Vila Cacimba, que nunca criara esse laço com a terra. Essa distinção o marcava mais do que uma raça.

— *Nunca semeei nada na Vida.*
— *Vai semear.*
— *Vou semear o quê?*
— *Não é "o quê". É "quem". Vai semear Barto.*

Munda adverte: afinal, nós somos todos plantadores de ossos. Urbanos, rurais, brancos, pretos: todos semeamos os mesmos mortos no mesmo chão.

Depois, a dona da casa faz menção de retirar o feto das mãos do visitante. Contudo, os dedos do médico mantêm-se cruzados e é com dificuldade que Munda consegue libertar a planta.

— O que se passa, Doutor?
— Não paro de pensar em Deolinda. É verdade que ela foi violada?
— Há assuntos que não posso lembrar.
— Está-me a responder que sim.
Ela retira um torrão de areia junto das raízes. Esfarela os grãos com raiva entre os dedos.
— *Está morto, até à raiz* — afirma. Lança a desbotada planta para longe, varre a sujidade espalhada no pátio. Fala sem dar repouso à labuta:
— *Só quer saber de Deolinda? Não quer saber de mim?*
A Sidónio escapa o sentido da pergunta. O compasso da vassoura raspando o chão é um pulsar tenso, o raspar de unhas no dorso da terra.
— *Noutro dia, você disse que eu era bonita.*
— *Disse e volto a dizer.*
— *Eu fui bonita quando tinha alegrias. Mas o senhor, sendo médico, nem reparou que não há só um doente nesta casa.*
— *A senhora nunca se queixou.*
— *Um bom médico escuta as dores mesmo antes de o doente as sentir.*
— *E de que sofre a senhora?*
— *Veja o meu peito, às vezes me aperta aqui entre os seios. Veja que hoje nem uso soutien.*
O médico se atrapalha, entre excitação e hesitação. Ergue o braço para evitar que Munda continue desabotoando a blusa. A mulher encara-o com enfadada rispidez:

— *Pois eu lhe pergunto: o senhor não se pergunta o que fazia uma mulher nova, bonita, esperando anos que pareciam séculos?*

— *Não sei, Dona Munda. E o que fazia essa mulher?*

Munda abana a cabeça em reprovação. Aposta que o médico se interrogou sobre o que fazia Bartolomeu nas suas andanças pelo mundo. Que lhe adivinhou e invejou amores entre portos e adeuses.

— *Mas eu também tenho corpo, ou será que nunca reparou?*

— *Reparei* — responde ele constrangido.

— *As mulheres não esperam tanto como vocês, homens, pensam.*

— *E com quem é que não esperou, Dona Munda?*

— *Não vai acreditar.*

— *Diga.*

— *Não posso.*

— *Agora vai ter que dizer.*

— *Pois confesso: eu traí Bartolomeu com o meu pior inimigo.*

— *E quem é?*

— *Alfredo Suacelência.*

— *Com Suacelência?*

— *Na altura, ele não era assim, tão cheio de ombros. Era bem diferente.*

— *E quando deixaram de se encontrar?*

— *Quando ele, em pleno acto, deixou escapar o nome dela.*

— *Dela?*

— De Deolinda.
— Desculpe, não acredito. A senhora disse que isso tinha sucedido com o seu marido...
— Engano seu.
— Disse, disse. Afirmou que o seu marido, em pleno namoro, sonhou alto com Deolinda...
— Nunca disse isso.
— Disse sim, disse que deixaram de dormir juntos quando ele deixou escapar o nome dela.
— Não me referia a Bartolomeu. Falava de Suacelência. Foi ele que falou no nome de Deolinda.

Tinha ocorrido assim: Munda e Suacelência se encontravam, às ocultas, até ao fatídico dia em que ela percebeu que o seu amante era amante da sua própria filha. Foi então que ela avaliou a mentira em que vivia. E passou-se o seguinte: em vez de culpabilizar Suacelência, ela lançou sobre o marido todas as possíveis retaliações. Para ela, era Bartolomeu que merecia castigo.

— Nunca mais me deitei com ele.

O médico retira-se com a convicção de que uma rede de mentiras se havia entrançado em seu redor. Por mais que Munda jurasse, como jurou, havia demasiado enredo para pouca personagem.

— *Você olha para Cacimba e parece-lhe muita gente. Mas nós, mulatos e pretos assimilados, somos menos que os dedos.*

Poucos e desamparados, partilhando secretas cumplicidades e sofrendo de um mesmo sentimento de orfandade. A cultura que os criou está longe, noutro tempo, noutro universo. A mentira é o único remédio que lhes resta contra essa solitária lonjura. Como diz Munda: apenas um mortal pecado pode curar a doença de viver.

Capítulo dezasseis

No posto de saúde, Sidónio Rosa lava as mãos, olhos distantes, alheio ao rebuliço que reina no exterior. Acabara de prestar os primeiros socorros ao administrador Suacelência. Não passara uma hora desde que o chefe da administração tinha dado entrada no posto em estado crítico. No princípio, Sidónio receou tratar-se de mais um caso de meningite. Mas logo recitificou o diagnóstico: os sintomas eram típicos de um envenenamento: salivação, náuseas, sudação incontrolada.

— *Alguém vá ao lado dele para o amparar nos solavancos.*

Inanimado no banco traseiro da carrinha que o levará para o hospital da cidade, Suacelência ainda sofre de convulsões que lhe projectam os olhos fora do rosto. Eis o avesso do destino: o homem que não queria transpirar está-se afogando em suores.

— *Ele vai sobreviver, Doutor?*

A voz ganha eco no pequeno cubículo onde o médico muda de roupa. Quem fala parece uma miúda, quase sem idade. Mas, depois, Sidónio reconhece: ela é Esposinha, a delicada esposa de Suacelência, acanhada demais para figurar como primeira-dama. Entende-se por que lhe deram aquele nome. Ela é apenas a esposa de alguém.

— *O meu marido abusou da dose daqueles pós que o senhor lhe mandou tomar...*

— *Mas quais pós?*

— *Aqueles pós de raiz que o senhor lhe receitou ontem. Para acabar com a transpiração.*

O médico não responde. A fúria rouba-lhe a fala. Alguém fizera uso do seu nome para que Suacelência se auto-envenenasse. Sem se despedir de Esposinha, o estrangeiro se apressa pelos caminhos que desembocam no lar dos Sozinhos. Pensa para nenhuns botões: o Administrador tinha sido envenenado e não tardaria que o seu nome estivesse envolvido na tentativa de assassínio. Daí a sua pressa em encontrar Dona Munda. Encontra-a a sair de casa, envergando luto.

— *Onde vai, Dona Munda?*

— *Vou apresentar condolências a Dona Esposinha.*

— *Suacelência ainda não morreu.*

— *Para mim já está morto.*

Altiva, Dona Munda prossegue caminho, fingindo não escutar o português que suplica que regresse. De vestido preto, move-se esbelta, passo curto, parecendo ter mais calcanhares que sapatos. O médico segue-a e puxa-a pelo braço. Insiste que ela regresse a casa. Munda não resiste, corpo encostado ao do médico enquanto ele a vai arrastando.

— *O senhor está a dançar comigo, Doutor?*
— *Eu tenho uma pergunta muito séria para si: quem foi que levou esses pós venenosos a Suacelência?*
— *Entremos, Doutor. Falamos dentro. O senhor está fora de si.*

Caminham de braço dado, semelhando um casal vindo da noite. Assim que entram em casa, o português enfrenta a mulher:

— *Agora, olhe nos meus olhos e diga: a senhora envenenou o homem?*
— *Suacelência não é um homem.*
— *Estou desgraçado! A senhora não só cometeu um crime como me incriminou também a mim.*

O médico está irreconhecível. Bate com a porta e regressa à rua com as mãos erguidas, dedos cruzados por trás da nuca. Se alguém cruzar com ele na Vila acreditará que ele se converteu num tresandarilho.

Dona Munda ainda espera que ele retorne, para terminar a mal começada conversa. Porém, o português apenas regressa no dia seguinte. Manhã cedinho, entra sem bater, surpreendendo Munda deitada no chão do corredor, dormindo enroscada junto à porta do quarto de Bartolomeu e ainda envergando o mesmo cerimonioso vestido preto.

— *Dona Munda? Está tudo bem?*

Ela se estremunha, emenda o corpo, ajeita os cabelos, corrige as roupas.

— *Aconteceu alguma coisa? A senhora perdeu os sentidos?*

— *Eu durmo sempre assim...*
— *Como sempre assim?*

Dormia todas as noites derramada à porta do quarto de Bartolomeu, na ansiedade de escutar um sinal do estado do marido.

— *Afinal, Dona Munda. Tanta raiva, tanta raiva?!*
— *Por favor, não diga nada ao fulano.*
— *Fique tranquila.*
— *Prometa-me uma coisa, Doutor. Se Bartolomeu morrer, se ele partir...*
— *Ninguém vai partir, Dona Munda. A única pessoa que vai partir sou eu.*
— *Vai embora, como? De vez?*
— *Volto para a minha terra. Tudo isto acabou para mim.*
— *O senhor não nos pode deixar!*
— *Já aconteceu, já deixei, venho só me despedir.*
— *Sobre aquilo de ontem, eu nem acabei de lhe explicar...*
— *Não preciso que me diga nada, eu vou-me embora.*

O homem atravessa a porta de saída, debruça-se para pegar nas malas que esperavam no pátio. A voz de Munda assume gravidade nunca escutada antes:

— *E Deolinda?*
— *Havemos de nos encontrar um dia.*
— *Não. Vocês nunca mais se vão encontrar.*
— *O mundo é pequeno, Dona Munda.*
— *Você não entende? Deolinda está morta!*

Um arco tenso toma conta das costas do visitante. As malas tombam. As mãos do médico esvoaçam como aves cegas, numa dança desencontrada. O corpo quer falar, não encontra voz nem gesto. Por fim, consegue vencer a surpresa que o inundou e balbucia:

— *A senhora inventou agora essa mentira apenas para me reter aqui?*

Munda não escuta. Ela está misteriosamente tranquila, as suas palavras já perderam toda a pretensão. Nesse tom mortiço, prossegue:

— *Deolinda morreu antes de você chegar cá. Morreu quando fazia um aborto, do outro lado da fronteira.*

— *Não pode ser, não pode ser.*

— *Ela estava grávida desse seu amigo, o administrador Suacelência.*

O veneno que Munda tanto lhe pedira não era, como ele sempre imaginou, para matar o marido. Era para se vingar de Suacelência.

O barulho pesa, mas o não escutar é que cansa. Sidónio, naquele momento, preferia a exaustão de nada mais escutar. Talvez por isso tenha tomado a decisão de se retirar para a pensão. Dona Munda segue atrás dele, silenciosa como num cortejo fúnebre. Quando Sidónio entra no quarto, ela entra junto com ele. Depois pede:

— *Deixe-me ficar aqui esta noite. Fico num canto, quieta, caladinha, sem existir.*

O médico não escuta. A mágoa roubou-lhe os sentidos. A conclusão para ele era tão evidente quanto insuportável: o casal o enganara da maneira mais infame. Tinham mentido sobre o sagrado: a morte da própria filha. E, ainda pior, tinham aproveitado a ocasião para extorquir dinheiro e apoios.

— *O tempo vai passar, o senhor vai esquecer.*

No princípio, a voz de Munda é, para Sidónio, apenas uma variação do silêncio. Ela vai prosseguindo, em intentos de consolo:

— *O tempo é o lenço de toda a lágrima.*

E acrescenta o ditado: o esquecimento é a derradeira morte dos mortos. As palavras de Munda apenas reiteram a sua decisão: voltará hoje mesmo à sua terra, abandonará Vila Cacimba para nunca mais voltar. Estendido na cama, vai ruminando angústias como o guerreiro que, depois da derrota, ainda afia o gume da espada. Aos poucos, porém, sobrevém-lhe um abatimento, e ele se afunda numa neblina. Antes de adormecer ainda escuta a mulher:

— *O senhor não conhece o tempo, não sabe como o tempo é o único remédio.*

O médico não responde. Está deitado, olhando fixamente a ventoinha avariada, pendendo do tecto. Deixa que se instale nele um pesado silêncio como um cortinado escurecendo o mundo. E adormece sentindo o ranger da cama. Vagamente se apercebe de que um outro corpo se estende a seu lado. Como em sonho, os braços de Munda lhe rodeiam o pescoço. Mas já não são braços. Apenas lençóis brancos esvoaçam como aves de arribação por entre o espesso céu de Vila Cacimba.

Talvez seja a espessura desse céu que faz os cacimbeiros sonharem tanto. Sonhar é um modo de mentir à vida, uma vingança contra um destino que é sempre tardio e pouco.

Capítulo dezassete

Agora o médico entende a razão da eterna penumbra da casa. Não é a luz que ali está interdita. São as sombras. Era essa a função dos pesados cortinados: impedir que a casa albergasse as moventes sombras: uma dessas sombras seria Deolinda.
É um desses solenes cortinados que a mão magra de Bartolomeu vai acariciando, num gesto quase sensual. Percorre os panos como se estivessse despindo uma das suas muito sonhadas mulheres.
— *O senhor deu em acariciar a casa?*
— *Depois de tantos anos, não sei se tenho outra família. Esta casa é minha parente, esta casa sou eu mesmo.*
Eis o que o tom trágico do velho sugere: para ele aquela é a última visita do português. Essa pretensão dramática não é partilhada pelo visitante. Sidónio vai directo ao assunto:
— *Venho buscar o meu passaporte.*
O outro parece dar-lhe ouvidos: assim que o médico anuncia os seus propósitos, Bartolomeu se precipita sobre o armário e vai revirando gavetas e prateleiras.

O médico repara que as ferramentas já não estão semeadas, em desordem, pelo chão do quarto. A caixa de ferramentas, de cor vermelho-escarlate, aguarda ao lado da porta. Munda sempre a escondera por baixo da cama, com peremptória sentença:

— *Não quero nada da cor do sangue nesta casa.*

Todavia, Munda não está em casa e Bartolomeu enfrenta, sozinho, o caos daquilo que ele chama o seu "desarrumário". Passado um tempo, Sidónio Rosa se apercebe de que o velho não está procurando pelos seus documentos. Ele está buscando roupas com as quais se vai vestindo dos pés ao pescoço.

— *Vou sair.*
— *Como sair?*
— *Vou para a rua, tenho assuntos...*
— *Outra vez?* — pergunta o médico.
— *Não há outra vez, agora vou em missão de serviço. Não quer saber qual?*
— *Eu agora apenas quero saber do meu passaporte.*
— *Quem lhe disse que está aqui?*
— *Estava dentro da pasta de documentos que deixei aqui.*
— *Pode ser que tenha caído, algures por aí.*
— *Eu não acredito que você não saiba do meu documento.*
— *Tem razão em duvidar-me. Confiar em quem, Doutor? Neste mundo, as mulheres são falsas e os homens são mentirosos.*
— *Para mim, é simples: o passaporte está escondido para que eu não possa sair.*

— Calma, tudo tem o seu tempo. Eu preciso viver este momento. Quem sabe esta é a última vez que estamos juntos.
— Espero bem que sim. Eu só quero sair, esquecer tudo isto.
— E porquê?
— Vocês mentiram-me.
— Você também mentiu.
— Não é a mesma coisa.
— Como não? Você mentiu muito e sempre, senhor Doutor Sidónio. Aliás você não mentiu, você é uma mentira.
— Eu apenas ainda não sou médico.

Sidónio soletra pausadamente a palavra "ainda".

— Está ver a diferença de um "ainda"? Nós também não mentimos: Deolinda apenas "ainda" não voltou a estar viva.
— Não menti.
— Quem quer vestir-se de lobo fica sem a pele.

O reformado vai à janela, levanta uma ponta do cortinado e espreita a claridade. No olhar do velho se operou uma estranha inversão: lá fora é que está o escuro. Regressa ao leito e, já sentado, revela a decisão de másculo comando:

— Já perdi muito tempo. Agora, preciso sair. Ajude-me, por favor, a calçar os sapatos.

O médico permanece impassível, sem saber se interrompe os desígnios do mecânico que se dobra sobre si mesmo enquanto se vai queixando: os sapatos, adorno tão sofisticado e dispendioso, não deviam ser usados nos pés. Desperdício que raspassem pelas imundícies do chão.

— *Veja, até os meus pés estão magritos. Vou precisar de peúgas duplas.*

— *Não o posso ajudar. Primeiro, trate de me dar o passaporte. Depois é que sai para a rua.*

— *É uma ordem, Doutor? Se eu fosse a si não tentava mandar em ninguém, muito menos em mim...*

— *Eu peço-lhe, Bartolomeu Sozinho, eu lhe peço por tudo quanto é sagrado: dê-me o meu passaporte!*

O doente contempla o português. Um sentimento de comiseração parece roçar a sua alma, mas ele sacode a cabeça e regressa apressadamente às proclamadas intenções:

— *Tenho apenas uma coisa a tratar, eu volto e trato do seu assunto.*

— *Promete?*

— *Prometo. Agora, ajude-me a calçar.*

O médico ajoelha-se, os dedos fazem de calçadeira, mas os sapatos estão tão grandes que fogem dos pés assim que o mecânico ensaia os primeiros passos.

— *Cabrões dos sapatos, estão com manias de grandezas...*

Caminha como se fosse uma criança: os sapatos como barcaças, sobrando-lhe do corpo, atrapalhando-lhe o calcorrear. Dá uma volta ao quarto, arrastando os pés e, depois, desistido, volta a sentar-se no leito.

— *Onde é que queria ir, afinal?*

— *Ia saber das novidades.*

— *Quais novidades?*

A esposa lhe falara, logo pela manhã, do rumor que corria pela Vila: Suacelência tinha sido demitido do cargo. Sem razão, nem motivo nem explicação. A medida fora tomada enquanto o Administrador recebia tratamento na cidade.

— *Queria saborear a novidade na rua, festejar os últimos acontecidos. Vou celebrar esse sacana do Suacelência todo despoleirado.*

— *Com esses sapatos não vai a lado nenhum.*

Bartolomeu se compenetra da clausura. Não sairá à rua arrastando aqueles fardos. Na verdade, não sairá de modo nenhum.

— *Sabe uma coisa: apetece-me um fuminho.*

— *Não tenho mais cigarros.*

— *Preciso de um fumo, mas não é tabaco. Diga-me uma coisa: não fumava comigo uma boa ganza?*

— *Não. Nem pense.*

— *Doutor Sidónio Rosa: este é o pedido de um condenado. Meu último favor...*

— *Não vale a pena dramatizar, eu estou imunizado...*

— *Nós não nos iremos ver mais, o que se passa aqui é uma morte, nós vamos morrer um para o outro...*

— *Está certo, eu cedo.*

— *O quê, vamos fumar juntos?*

— *Não. Você fuma e eu fico aqui, assistindo mas não fumando...*

— *Então, faça-me um favor: tire o saco que está debaixo da cama. Eu não posso...*

O médico espreme-se por baixo da cama. Depois, rasteja às avessas e, com um esgar de dor, entrega o saco de suruma* e uma caixa de fósforos.

— *Malditas costas!* — pragueja o estrangeiro.

Perante as queixas do português, o mecânico prepara-se para conferenciar sobre os malefícios da anatomia: as costas servem para quê? Para nos apunhalarem. É para isso que servem. O médico lusitano, porém, interrompe a deambulação:

— *Não falemos em apunhalar.*

A fabricação de um cigarro, o meticuloso enrolar do papel: eis as tarefas que passam a ocupar inteiramente Bartolomeu e fazem exasperar o visitante.

Resignado, Sidónio contempla o deflagrar da chama entre os dedos do paciente. Observa o velho aspirando o fumo, retendo-o nos pulmões até súbita explosão do peito.

— *Não quer mesmo uma passa, Doutor? É a nossa despedida, nós temos que confundir a tristeza...*

O português, mortificado, ensaia um mal amanhado sorriso. Lentamente, estende a mão e aceita o cigarro já aceso.

— *O senhor sabe como se faz? Inspira e não deita fora.*

O português encosta-se à parede e olha a pequena beata com desconfiança. O cigarro acabara de estar na boca do velho, o papel certamente se impregnara das suas contaminadas salivas. Fica assim um tempo, depois,

---

* *Suruma*: marijuana.

fecha os olhos e acaba fumando com sofreguidão. A beata vai passando de mão para mão e, durante um tempo, nenhum diz palavra. O leve tossicar causado pela irritação do fumo é o único ruído que se pode escutar naquele quarto sombrio de Vila Cacimba.

— *Imagino se Munda entrasse agora neste quarto* — diz o médico.

— *Isto, meu amigo, isto é que é sonhar forte e feio* — replica o outro, erguendo-se.

As pernas trémulas já dificilmente suportam a marcha do velho mecânico. Contudo, ele parece apostado em superar os limites do corpo e abraça o pesado televisor, levantando-o em peso.

— *Ajude-me aqui, Doutor, ajude-me a carregar esta televisão.*

— *Quer mudá-la para onde?*

— *Você já vai ver!*

Assentam o televisor no parapeito da janela. De um sacão, Bartolomeu repuxa os cortinados e abre a janela. É um gesto esforçado e penoso, há meses que aquelas dobradiças permanecem imóveis.

Depois, os dois empurram o aparelho para o lado de fora. Debruçados, observam a televisão estilhaçar-se, com estrondo, no cimento do passeio.

— *Já está!* — suspira, aliviado, o velho.

O que o português lhe havia ofertado deixara, naquele momento, de existir. Restavam uns cacos, espalhados na via pública.

— *Acabou-se a dívida externa!*

O reformado ri-se, adolescente. As gargalhadas do português juntam-se ao seu rouco cacarejar. Naquele quarto está-se festejando o caos ou, como se diz na Vila, está-se dançando com os demónios.

— *Ao rirmos assim, sabe o que estamos a fazer? Estamos a embrulhar tristeza.*

O português não responde. Limpa as lágrimas que o riso e o fumo fizeram escorrer pelo rosto. Escutam-se, na rua, os pequenos estilhaços do ecrã a serem pisados pelos transeuntes.

—*Pisem, pisem cabrões*— resmunga Bartolomeu —, *estão pisando os meus sonhos*.

Aos poucos, a euforia inicial dá lugar a um abatimento lúgubre. Partilham ambos desse velório sem morto, mas não demora que Bartolomeu regresse às falas:

— *Se calhar Deolinda não morreu definitivamente. O senhor não acredita em reencarnação?*

— *Não.*

— *Eu também não. Mas a verdade é que a pessoa reencarna, sim.*

— *Em que ficamos?*

— *A pessoa reencarna, mas demora uma eternidade. Veja o caso da minha mulher.*

— *O que tem a sua mulher? Não me venha dizer que Munda é reencarnada?*

— *Se fosse, ela seria uma bela reencarnada, não concorda?*

A cautela manda que o médico se abstenha de responder. Uma imaginária fagulha atrai a sua atenção para as calças. Demora-se a sacudir e a inspeccionar o tecido.

— *Coitada de Mundinha* — prossegue o mecânico. — *Ela ficou em trabalho de parto toda a vida. Ainda hoje ela carrega a filha dentro do corpo.*
— *Peço-lhe uma coisa: não falemos em Deolinda.*
— *Quem disse que estou falando dela?*

Voltam a ficar calados. Escuta-se uma vassoura varrendo o passeio. Não tarda que não haja vestígios do aparelho quebrado.

— *Você deu-me aquela televisão porquê?*
— *Nem me faça lembrar. Foi por causa da aldrabice daquelas cartas.*
— *Deixe-se disso, você deu porque quis dar, você vive com medos.*
— *Que medos?*
— *O senhor chegou aqui a perguntar se gostávamos dos portugueses, todos os dias perguntava a mesma coisa...*
— *E qual é o mal?*
— *Nunca em Portugal eu perguntei se os portugueses gostavam dos africanos. E sabe porquê?*
— *Não.*
— *Tinha medo de perguntar porque já sabia a resposta.*
— *Tudo isso mudou muito. Portugal, agora, é um outro país.*
— *As pessoas demoram a mudar. Quase sempre demoram mais tempo que a própria vida...*

Afinal, os homens também são lentos países. E onde se pensa haver carne e sangue há raiz e pedra.

Outras vezes, porém, os homens são nuvens. Basta o soprar de um vento e eles se desfazem sem vestígio.

— *E agora, Doutor: o senhor, agora, ainda sente medo?*

— *Não sei. Às vezes penso no português que mataram lá no quarto da pensão.*

— *Esse português nunca esteve naquele quarto.*

— *Mas mostraram-me o quarto com as coisas dele...*

— *Tudo mentira.*

O mistério do quarto da pensão era, afinal, bem diverso do que ele tinha imaginado. Aquele quarto era um "matadouro", mas num outro sentido. Suacelência levava para ali as meninas que ele, digamos, consumia. As roupas que o médico ali vira serviam para o Administrador envergar depois, sem cheiros nem transpirações.

— *Pode ter a certeza de que já não acredito em mais nada. Vocês mentiram-me. Foi o que vocês fizeram, desde que cheguei: mentir.*

— *Cuidado com esse "vocês"...*

— *Você e Munda, a fabricarem cartas e a pedirem coisas, isso nunca mais posso perdoar.*

— *Em primeiro lugar, tire Munda disso. A ideia das cartas foi minha. Só minha.*

— *Mentiram os dois.*

— *Em segundo lugar, nós não mentimos apenas para si. Estamos mentindo para nós mesmos, desde que Deolinda partiu.*

O estrangeiro que entendesse a razão e perdoasse o motivo. Pedir é melhor que roubar. E se Deus não nos ajuda, como recusar auxílio do diabo? O segredo, numa vida remendada, é manter o fio na agulha e saber aproveitar a ocasião. E ali, tão longe de tudo, a ocasião não podia ser outra. Dona Munda, coitadinha, era muito ingénua. Pedia a Deus que mudasse o mundo. Ora, é sabido: para os pobres, este mundo só muda para pior.

— *Começo a ficar farto dessa sua prosápia...*
— *Pois ainda vai ouvir o seguinte: você pagou o que nos tinha que pagar.*

No fundo, não tinha havido nunca abuso algum ou desmerecido proveito. O português ia desposar a filha do casal. Tudo aquilo que Bartolomeu Sozinho encomendara em falseada letra não era mais que um dote, um legítimo direito de família.

— *Para todos os defeitos, você era nosso genro.*
— *Era. Ou melhor: nunca fui. Agora, muito menos.*
— *Quero que diga que é ainda nosso genro.*
— *Não digo coisa nenhuma. Você sabe o que eu quero.*
— *Diga que é o meu genro.*
— *Não digo, posso estar passado, mas não perdi o juízo.*
— *É pena, porque eu gostaria de entregar o passaporte ao meu querido genro.*

O modo irónico revela que a insistência virou desistência, em resignação de quem sabe estar varrendo ruínas. A resposta do estrangeiro, porém, surge inesperada:

— *Sou seu genro, Bartolomeu Sozinho.*

— *Diga outra vez.*
— *Sou seu genro.*

O mecânico ergue-se com surpreendente energia, revolve uma gaveta e, com solenidade, entrega uma carteira ao visitante. Sidónio não agradece. Apetece-lhe abraçar o velho, mas contém-se.

— *Agora, já nos pode abandonar. Já pode ir para Lisboa.*
— *Vou voltar para a minha terra.*
— *Quem sabe vai voltar a ser meu genro?*
— *Como?*
— *Isadora.*
— *Não entendo.*
— *Esta noite sonhei que você, lá em Lisboa, se apaixonava por minha filha, Isadora...*

Sidónio sorri, condescente — "quem sabe?, quem sabe?" —, enquanto confere os documentos: estão completos, incluindo o passaporte de capa vermelha. Só depois ergue o rosto e enfrenta o sombrio habitante da penumbra.

— *Diga-me, Bartolomeu: o senhor está assim, fechado neste quarto, desde que soube que sua filha tinha morrido?*
— *A gente não sabe nunca que um filho morreu.*

Há saberes que estão para além do entendimento. O Homem entende a Vida. Mas só os bichos entendem a Morte.

Capítulo dezoito

Sidónio Rosa está sentado na escadaria do posto com as malas espalhadas pelos degraus. Aguarda pela viatura que o vai levar para a cidade. Contempla a Vila, devagar: esta é a última vez desse olhar. Como em sais de prata, sorve a imagem desse lugar onde nunca chegou verdadeiramente a entrar. A descoberta de um lugar exige a temporária morte do viajante. Sidónio Rosa receava essa total disponibilidade. Estava preparado para ser chamado de Sidonho. Mas não estava habilitado a ser Dotoro Sidonho.

E pensa: aquela Vila tem o viver de um rio. Manso e vagaroso, mas com fatais enchentes. Ele não quer nem remanso nem correnteza. Apenas o repouso de se sentir alheio, sem raiz nem semente. É assim que vai partir, despido de memória, isento de saudade.

A carrinha dá entrada na praça, levantando uma nuvem de poeira. Do ventre atafulhado do veículo desembarca o Administrador. Vem combalido, mas caminha pelo seu próprio pé, sem abdicar da vaidosa postura. Pode já não ser a autoridade, mas a vaidade, num caso destes, não pode baixar os ombros, a mostrar-se despromovida. As asas da borboleta não são a borboleta toda inteira?

Um moço se aproxima para lhe entregar um bilhete e o ajudar a carregar as malas até à escadaria do posto. Suacelência passa os olhos pelo papel e entrega uma moeda ao miúdo que se afasta correndo. Depois, contempla com estranheza o português e dirige-se-lhe com respiração difícil como se ele tivesse carregado a bagagem.

— *Doutor, assim sentado nas escadas do posto, parece que lhe aconteceu o mesmo que a mim: foi despromovido.*

— *Vejo que voltou recomposto.*

— *Graças a si, não fosse os primeiros cuidados que recebi. Mas essa estrada deu cabo de mim.*

— *Nunca esteve tão mal.*

— *Tenho pena que seja a única* — lamenta o Administrador.

— *Não sei se há que ter pena. Quanto mais estradas, menos visitamos os outros.*

O médico não se ergue para saudar Suacelência, mas ajuda-o a acomodar-se a seu lado, ocupando todo um degrau da escada. Assim ficam, desabados e vazios, o Administrador fazendo coro com o silêncio do português. Suacelência limpa os suores tão meticulosamente que se percebe que está aguardando que o médico fale. O português corresponde e se explica:

— *Uma coisa queria esclarecer, esses pós de veneno, não fui eu quem os enviou para si.*

— *Eu sei* — responde o Administrador.

— *Não tenho nada a ver com essa história.*
— *Eu sei quem foi.*
Suacelência faz uma pausa e prossegue num tom expedito:
— *Munda não quer acreditar nas evidências.*
— *E que evidências são essas?*
— *A causa de tudo está fechada naquele quarto. Chama-se Bartolomeu Sozinho.*
— *Porquê ele?*
— *Deolinda desistiu de viver por causa dele.*
— *Afinal, não morreu de um aborto?*
— *A história é bem diferente.*
— *Administrador: conte-me tudo. Por favor, conte--me a verdade. Eu estou tão confuso...*
— *Eu já não sou administrador. Os meus companheiros de viagem é que me deram a notícia.*
— *Também ouvi dizer.*
— *No seu país também é assim?*
— *Assim, como?*
— *Usar pessoas e deitá-las fora como cascas de fruta?*
O que tinha ocorrido era simples, no dizer de Suacelência. Ele se tinha oposto ao descontrolado abate de madeira, sem saber que o negócio era desenvolvido por uma empresa de um político poderoso.
— *Não seremos nada enquanto governarmos o país como se fosse um quintal e dirigirmos a economia com se fosse um bazar. Sabe quem disse isto?*
— *Não sei, nem quero saber. Agora quero saber de outras coisas...*

— Mas sobra-me uma compensação, meu amigo: agora já posso beber em público. Agora já posso embebedar-me e falar tudo o que me vier ao coração.

— Desculpe, Suacelência, mas eu só tenho cabeça para Deolinda, não posso sair daqui sem entender o que se passou com Deolinda.

— Tem tempo?

— Estou à espera da camioneta. Acho que vai demorar.

— Tem paciência para escutar?

— Em África aprendi a escutar e não apenas a falar.

— Escutar também é falar.

O Administrador encosta-se para trás enquanto, com mil cautelas, vai ajeitando o lenço no bolso da balalaica. Só depois é que retoma as falas:

— Foi Deolinda que matou Bartolomeu.

— Bartolomeu está vivo.

— Por pouco tempo. Foi ela que lhe passou a doença.

— Doença? Que doença?

O Administrador prossegue como se não escutasse a pergunta. Deolinda regressou enferma a Vila Cacimba e usou a própria doença como arma para se vingar do velho que, em menina, a tinha violentado.

— É isto: a gente nasce sem pedir e morre sem ter licença.

Acontecera assim: depois de ter regressado da cidade, Deolinda tinha sido, de novo, objecto de assédio por parte de Bartolomeu. Só há um meio de se sair do Inferno: é nos convertermos em diabo. Foi isso que a bela filha fez: seduziu o mecânico e convocou agonias do passado. Feridas da boca curam-se com a própria saliva.

— *Bartolomeu sabia de tudo.*
— *De tudo o quê?*
— *Sabia que Deolinda estava doente e de que doença ela sofria. Aquilo, para mim, foi um suicídio* — rematou Suacelência.

E repete: o velho mecânico estava certo de que iria ser contaminado, mas, mesmo assim, preferiu o abraço fatal daquele corpo.

Ninguém na Vila tinha conhecimento da completa história a não ser ele e o velho casal dos Sozinhos. Bartolomeu fechara-se no quarto. Fazia o luto por Deolinda e por ele mesmo. E Munda? Ela diz que vai chorar para o rio, mas não é verdade. O que ela vai fazer é visitar a campa, ou melhor dizendo, a última sombra de Deolinda.

— *A doença de Deolinda, caro Doutor, é essa mesmo que o senhor sabe, mas em fase terminal. Não está com receios de si?*
— *Bom, em Lisboa, nós protegemo-nos.*

O Administrador sacode a cabeça, com sábia tolerância. A palma da mão acaricia o vasto ventre. Quem, como ele, é depositário de segredos acaba sendo dono do passado.

— *Então, agora já sabe, foi assim que tudo sucedeu...*
— *Peço desculpa, caro Administrador, mas eu tenho escutado tantas versões que já não acredito em mais nada.*

Acreditar é para quem desperta, acreditar é para quem chega. E ele estava de partida, estava fechando a alma com os mesmos cortinados que escureciam a casa dos Sozinhos.

— *O senhor não acredita, mas ainda lhe conto o que se passou nos dias finais de Deolinda Sozinho.*

Na realidade, o final não era muito diverso do início: o destino nunca protegeu a bela Deolinda. Já muito doente, ela veio ter com Suacelência, e pediu que a levasse ao Zimbabwe para consultar um curandeiro. Voltou ainda pior. Nem sequer completou a viagem de regresso a Vila Cacimba. Desceu no apeadeiro anterior e solicitou que chamassem a mãe para vir ter com ela. Albergou-se no pequeno cemitério dos alemães, onde o preconceito não deixava ninguém chegar. Ali morreu em poucos dias. Não precisou sequer que o coração parasse. O corpo perdera toda a substância e os ossos tinham emagrecido tanto que, após o desfecho, não havia mais nada para enterrar.

— *Mais uma outra coisa, Doutor...*

— *Pode falar, eu já não escuto. Já não sei mais escutar.*

— *Bartolomeu não violou a própria filha.*

— *Vá falando, os meus ouvidos já seguem para além da estrada.*

— *Deolinda não era filha, era cunhada dele.*

Fossem postos os pontos nos iis: Deolinda era a irmã mais nova de Munda. Quando chegaram à Vila, os Sozinhos trouxeram a menina embrulhada nessa falsa identidade. O casal vivia traumatizado com a ideia de não poder ter filhos. Exibiram a irmãzinha de Munda como sendo filha. Aqui ninguém os conhecia, ninguém questionaria.

Essa era a explicação para as querelas entre os dois velhos conterrâneos. A disputa entre Bartolomeu e Suacelência, toda essa recíproca raiva, não era por razão política: ambos amavam Deolinda.

— *Quero que saiba uma coisa, Doutor: eu nunca toquei em Deolinda, nunca toquei nem na mãe nem na dita filha... O senhor acredita em mim?*

— *Munda disse-me exactamente o contrário. Disse-me que Deolinda até abortara, grávida que estava de si.*

— *Tudo mentira. Munda inventou isso e agora ela está convencida de que sou culpado. O senhor não acredita em mim?*

— *Não acredito em ninguém. Eu acreditava em Deolinda. Só queria que ela estivesse aqui...*

O médico abre a mala e retira o álbum de fotografias. Folheia página por página, enquanto Suacelência espreita sobre o seu ombro.

— *Vou levar Deolinda comigo, nestas imagens... Assim posso vê-la todas as noites. Veja esta fotografia, veja como ela está tão menina...*

— *Desculpe, Doutor, mas essa não é Deolinda.*

— *Como não é Deolinda?*

— *Essa é Munda.*

— *Não pode ser.*

— *É Munda, eu sei. Fui eu que tirei essas fotos.*

O médico sorri, a incredulidade roça a desfaçatez. Volta a arrumar o álbum, fecha lentamente a mala e ergue-se para perscrutar o horizonte. Procura pela viatura que o levará para longe. Não há sinais dela.

— *Dei ordens para que fossem buscar combustível* — diz-lhe o Administrador.

Era, possivelmente, a última ordem que ele dava. Obedeceram-lhe sem nenhuma hesitação. Depois de levar o médico à cidade, a carrinha tinha de regressar e dirigir-se para a costa. Missão urgente, inesperada.

— *Sabe o que a carrinha vai fazer? Vai à foz do rio para alugar um barco. Meto aquilo no camião e carrego para aqui.*

— *E por que precisamos de um barco em Vila Cacimba?*

— *Estou satisfazendo um pedido de Bartolomeu. Espere, eu já lhe mostro...*

Suacelência retira do bolso o bilhete que o miúdo lhe havia dado ainda há pouco e entrega-o a Sidónio:

— *Leia este bilhete que me mandou o meu velho Bartolomeu Sozinho...*

O médico recebe o amarfanhado papelinho e lê, também ele, a esborratada mensagem. O deposto administrador espreita o rosto do português e pergunta, queixoso:

— *Já leu? Agora tenho que gastar o meu último dinheiro...*

Teria que desviar uns fundos que tencionava despender na campanha eleitoral. Que seriam, agora, gastos no aluguer de um barco.

— *Bartolomeu é maluco. Já viu? Pedir que, no enterro, levem o corpo dele num barco...*

Era um pedido louco, mas Suacelência iria cumprir. Caso ainda sobrasse dinheiro, talvez comprasse umas tintas e pintasse no casco do barco o nome *Infante D. Henrique*. Quem sabe nem valesse a pena o artifício, tão fraco de vista estava o seu antigo rival.

— *Então já terminou esse antigo ódio entre vocês os dois?*

Suacelência não responde. Sorri, circunspecto. Sacode a poeira que se acumulara sobre a bagagem e apoia a perna numa das malas. O médico ergue-se, determinado:

— *Suacelência me desculpe, mas eu agora tenho que ir... tenho que ir a um certo lugar.*

— *Eu sei que lugar é esse.*

— *Posso pedir que guarde as minhas malas?*

— *Vá, meu amigo, eu mando alguém ficar aqui a vigiar. E escute uma coisa, escute com todo o coração: a culpa não é sua.*

— *A culpa de quê?*

— *De tudo isto.*

— *Tudo isto, o quê?*

— *Tudo o que aconteceu aqui, consigo, com Deolinda, com Munda, com Bartolomeu. Não podia ser de outra maneira. É a vida que não tem remédio.*

O português desce apressadamente os degraus da escadaria. Precisa de cumprir uma última urgência. Não pode sair sem visitar o lugar onde Deolinda está enterrada.

— *Vou dar uma volta, regresso já.*
Mente, o português: diz que se vai despedir da Vila, essa sua pequena África. Acena um adeus ao Administrador e faz de conta que se dirige para o mercado. Quando se sente fora do alcance de Suacelência, toma a estrada que sai da Vila e corre até chegar à tabuleta do primeiro apeadeiro. Depois, envereda por um atalho em direcção ao rio. Só se detém quando vilsumbra as primeiras campas. Sidónio Rosa está em pleno cemitério dos alemães, o interdito lugar que agora ele transgride em atabalhoado passo.

— *Eu sabia que o senhor viria.*

A voz de Munda não parece assustar o português. A presença dela era apenas a confirmação de uma suspeita. A mulata está sentada sobre uma pedra, junto a uma cruz de metal. Quando se aproxima, Sidónio percebe que, na realidade, se trata de uma velha âncora. O português pensa: esta deve ser a campa de Deolinda e a âncora deve ser um crucifixo improvisado pelo velho Bartolomeu.

O português senta-se ao lado de Munda e escuta para além do limite do cemitério, o escorrer vagaroso do rio. No fundo do vale, o rio se espreguiça num remanso gordo. Chamam o lugar de "umbigo da água", nenhum habitante de Cacimba enterraria os seus mortos em terras molhadas, num lugar tão próximo de um curso fluvial. Aquele só pode ser um cemitério para estrangeiros, esses mortos que enlouquecem por nunca mais encontrarem o caminho de regresso a casa.

— *Aquela campa lá é do meu bisavô Germack.*

— *E esta é a campa de Deolinda?* — pergunta Sidónio, apontando para a enferrojada âncora.

— *Não. Esta será a campa de Bartolomeu.*

— *E onde está enterrada Deolinda?*

— *Eu já lhe disse, Deolinda não mora na terra. Ela é uma sombra.*

— *Diga-me: qual é a campa dela?*

A resposta borboleteia sem pouso: a pessoa que amamos está enterrada em todo o lado. O mesmo é dizer: não desce nunca à terra. Assim falou Munda para depois se calar. De novo, o silêncio cria oceânicas lonjuras entre o visitante e a mulata. O médico vinha dizer adeus, mas não encontra palavras. É Munda quem o salva do embaraço:

— *Eu não tenho coração para adeuses. Nem tenho maneira de dizer como lhe estou grata.*

— *Não fiz nada de mais.*

— *Você me devolveu Deolinda.*

O médico, por um instante, se desequilibra. Apoia-se no braço de Munda. A sua mão demora-se no corpo dela.

— *O senhor me olhou com desejo, Doutor Sidónio. O senhor me fez nascer mulher, tantos anos depois.*

Nas últimas semanas ela se surpreendia pintando as unhas, passando uma cor pelos lábios, ressuscitando os espelhos a vestir e despir enfeites.

— *Bartolomeu estava fechado no quarto, eu estava fechada dentro de mim.*

A voz dela é mortiça: tudo o que fala parece ser já passado. A antiguidade das coisas está no desejo de as esquecermos. E ela sabia que os adereços em seu corpo e os brilhos em sua alma já não eram mais do que ténues lembranças.

— *Falei-lhe das vezes em que imitava amantes para o meu marido?*

— *E porque me pergunta isso?*

— *Porque me aconteceu algo semelhante consigo.*

Sucedera assim: de tanto fazer de Deolinda, de tanto escrever cartas de amor para o futuro genro, Dona Munda acabara ficando cativa de uma envergonhada vertigem.

— *Eu o desejo muito, Sidónio.*

O português permanece em silêncio, respiração contida.

— *O senhor me deu o maior remédio. Eu voltei a sonhar.*

— *E sonha com quem?*

— *Eu já sonho comigo mesma.*

Resta pouca luz ao dia. As cigarras estão-se calando, as rãs iniciam o seu turno. A primeira coruja rabisca voos na cegueira do escuro. O português confessa:

— *Tenho inveja da coruja que é capaz de ver de noite.*

— *Eu não quero ver de noite* — responde ela. — *Eu quero ver a noite.*

Sorri, envergonhada, como se se desculpasse.

— *"Eu quero ver a noite", é como diz a canção...*

— *Que canção?*

— *Uma. Você não conhece.*

Trauteia uma música em surdina. Depois a mulata soergue-se e corrige as rugas do vestido.

— *Eu não queria que fizesse amor comigo. Bastava que me observasse uma noite e me visse despir. Como diz a canção: eu, nua, sob a Lua.*

Sidónio alisa a areia com os pés. É como se as palavras da mulher tivessem tombado no chão, escavando, sob os seus pés, fundos precipícios. Munda encosta-se no corpo do português e assenta um dedo sobre os lábios dele.

— *Não tem que falar nada, Doutor. Apenas me prometa uma coisa.*

Ele ergue o rosto e, de repente, não sabe que mulher lhe surge por detrás dessa voz que lhe pergunta:

— *Se o meu marido não despertar, amanhã, se ele adormecer de vez, promete que espera por mim?*

Pareceu-lhe que ela tinha acrescentado: "Você espera, meu anjo-da-guarda?". Pareceu-lhe. Quem pode saber? Afinal, tudo começa num erro. E tudo termina de mentira.

— *Sua excelência me contou muita coisa.*
— *Imagino.*
— *Coisas muito tristes.*
— *As mentiras podem ser tristes, sim.*
— *Não sei. Eu acreditei.*
— *Pois precisa esquecer. Precisa esquecer tudo o que lhe contaram.*
— *Esquecer, porquê?*
— *Porque são mentiras, esta terra mente para viver.*

Munda recolhe flores brancas que crescem entre as campas. Traz uma mão cheia de pétalas e entrega-as ao português.

— *Sabe como se chama essa flor?*
— *Não.*
— *Pois nunca mais se vai esquecer. Chama-se "beijo-da-mulata".*

A mulher não quer apenas que o português toque e cheire a flor. Pretende que ele faça como ela está fazendo: que mastigue umas pétalas e sinta o seu sabor adocicado.

— *Este é o remédio para saudades e tristezas, essas que não têm cura* — diz Munda.

Os frágeis dedos dela introduzem as corolas brancas entre os lábios do homem. Olhos fechados, o médico recebe aquela profana hóstia.

Nessa noite, Sidónio Rosa adormece profundamente entre campas com nomes ilegíveis. Desobedece à interdição maior que é dormir num lugar onde todo o sono é eterno. Talvez por isso ele, ao adormecer, tenha escutado vozes que diziam: "Neste cemitério não foram enterrados apenas europeus. Aqui foi enterrada a Europa inteira". E talvez tenha sido por isso que Sidónio percorreu, durante toda a noite, o território dos sonhos, como se o sonho fosse a única fronteira que o separava dos defuntos.

O sonho do estrangeiro é tão real e intenso que ele mesmo desconhece se está dormindo ou se está delirando desperto. Grita por Munda, ninguém responde. Sidónio sente-se flutuando: persegue-o a ressaca das mastigadas flores? Atacado por maus agoiros, ele se apressa a retirar-se do cemitério. A neblina é tão intensa que ele tem que arrastar os pés para encontrar o trilho que o conduz à estrada. Se o vissem agora, diriam que ele era mais um dos tresandarilhos.

Escuta a camioneta a imobilizar-se no apeadeiro e sente que alguém desce vagarosamente do veículo. O ruído do motor afastando-se vai esmorecendo até se aplacar em silêncio. Depois, um vulto ganha contornos e acaba esbarrando aparatosamente no português. Uma brisa dissipa o cacimbo e Sidónio Rosa tem pela frente uma mulher magríssima, envergando um vestido cinzento que roça pelo chão. O médico repara que a mulher está grávida e do braço esquálido lhe pende uma mala de cartão. A moça brancoleja os olhos e pergunta:

— *Sabe onde posso encontrar Dona Munda?*

A voz era de pessoa? Um arrepio sacode o português.

— *Dona Munda?* — sussurra. Deixa que a pergunta ecoe no vazio da alma apenas para ganhar tento. Quer responder, mas as palavras prendem-se na garganta. Apenas aponta para o carreirinho que desemboca no cemitério.

— *Venho da cidade* — diz a aparecida. — *Trago uma carta para entregar a Dona Munda.*

— *Uma carta?* — estremece o português.

E a mulher se afunda no nevoeiro. Sidónio Rosa deixa, então, de se ver a si mesmo. E ele se recorda do que lhe disseram à chegada: "Em Vila Cacimba faz tanto nevoeiro que os homens, por vezes, não são mais que nuvens". É o que ele é, neste momento: um etéreo floco suspenso. Uma espécie de brisa o faz progredir na direcção da mensageira.

— *Moça? Espere, eu mostro onde é a casa dos Sozinhos...*

E avança, solitário, pela nublada estrada. Fosse pelo denso nevoeiro, fosse pelo seu estado interior, o médico não reconhece a Vila. Duvida: "Será que estou chegando pela primeira vez a este lugar?". Em frente da residência dos Sozinhos uma voz o saúda:

— *Ainda bem que veio, Doutor, a casa está morrendo.*

Por isso ele tinha sido convocado; por isso, desembarcara na povoação. Não eram os habitantes que padeciam de enfermidade. Era a casa que tinha adoecido. Sidónio sentiu, de facto, que o edifício estava febril, prestes a sofrer de convulsões.

Era o que tinha acontecido com os restantes edifícios da Vila. O mesmo mal, a mesma epidemia vitimara todo o casario. Aquela era a última casa, a única sobrevivente. De súbito, entre as vozes distantes, lhe pareceu escutar Deolinda:

— *Salve a minha casa, salve as minhas lembranças...*

O médico acariciou o aro da porta de entrada como se tomasse o pulso da construção. O que sucedeu a seguir, sem que ele pudesse evitar, foi que as paredes da casa estremeceram a ponto de se dissolverem. Não desabaram como num sismo. Ascenderam no espaço vertidas em poeira para depois se evaporarem nos céus. Como uma asa avulsa, restou o tecto, vogando suspenso, semelhando uma ave cega que rodopiasse sobre o antigo ninho. Desse flutuante tecto escorria um fio de água e Munda se banhava sob essa cascatinha. A mulher se tinha despido para chorar.

— *Agora que a casa voou, já não preciso sair à rua para chorar.*

Durante toda a vida, ela sempre tinha saído para derramar tristeza. Chorar faz-se longe de casa, onde ninguém escute nem veja: esse era o mandamento na família. A lágrima não pode tombar no soalho. Caso contrário, a pedra se torna carne e a casa pode sair voando, até não ser mais do que nevoeiro entre nevoeiro.

Trôpego, o médico pensou em encostar-se, mas não havia encosto. O homem resvalou no chão e sentiu a areia junto ao rosto. Não se ergueu. Perdera as forças, perdera a ideia do próprio corpo. Ele era o chão inteiro: para quê separar-se da sua própria substância?

Até que uns braços femininos o ajudam a levantar-se, apoiam a sua marcha e, de novo, o conduzem entre sombras. Escutou alguém, levemente familiar:

— *Agora pode chorar, Doutor.*

O médico sente que a voz ecoa num difuso túnel. Depois, ele se vai aclarando e percebe que é Dona Munda que o apoia nos braços e sussura ao ouvido:

— *Chore no meu peito, Doutor Sidónio.*

Estará ainda no cemitério? A audição já regressou, mas a visão está ainda toldada. O português sacode a neblina que lhe tolda a consciência. A mão limpa os grãos de areia no rosto e faz tombar uma pétala que ainda lhe pendia da boca.

— *Onde estou?*

— *Está na camioneta, o senhor está quase a ir embora.*

— *Embora?*

— *Sim, esta é a nossa despedida* — disse Munda. — *Está triste?*

— *Eu?*

— *Pareceu-me ver uma lágrima escorrendo no seu rosto.*

Munda tinha-o amparado até ao banco traseiro da camioneta e, por derradeiros momentos, ela partilha o assento que o português ocupa. A mulata retira da bolsa um envelope e usa-o como um abano para refrescar o rosto do médico. A Sidónio parece que aquele envelope é o mesmo que vira nas mãos da estranha moça do sonho.

— *Essa carta, essa carta...*

Não chega a formular a pergunta. Do lado de fora alguém bate na janela. É o Administrador que acena, sorrindo:

— *Uma bela ressaca, caro Doutor. Foram precisas duas pessoas para o trazerem até à Vila.*

Suacelência aponta as malas sobre o tejadilho da viatura. Estava tudo arrumado, tudo completo e pronto para a saída. Depois, Sidónio volta a mergulhar no silêncio. O médico contempla as casas, a praça, o posto de saúde. Não se despede. Apenas confere se as habitações não tinham levantado voo.

— *Vejo-o tão triste, Doutor. Ainda dá tempo para uma lagriminha rápida, ninguém vai notar...*
—*Uma lágrima?*
— *Chore no meu peito, Doutor. Aqui, no meu peito, é a campa de Deolinda.*

Chorar? O pranto pede corpo e Sidónio, naquele momento, não possuía peso nem realidade. A camioneta está partindo, Munda retira-se sem olhar para trás e o fumo escuro envolve a multidão que se despede.

O português segue pela estrada esburacada como se flutuasse sobre as ondas de um rio. Lentamente, a savana vai desfilando, ondulante como líquidas labaredas. O médico espreita pelo vidro de trás, mas a Vila deixou de ser visível. Uma espessa neblina a tornou interdita a olhares e lembranças. Há nessa poeira o sabor de um tempo suspenso. Como se a viagem de Sidónio não tivesse partida nem chegada. Talvez por isso, em lugar de acácias e imbondeiros, ele assista ao vagaroso desfilar do casario da sua Lisboa. Afinal, Sidónio Rosa apenas agora está saindo da sua terra natal.

De súbito, surge-lhe a perturbante visão: na berma da estrada, a mensageira do vestido cinzento. Está sentada sobre a sua própria bagagem. Afinal, a esquálida moça nunca chegou a sair do apeadeiro do cemitério. O médico acena, mas ela não responde. Não pode fazer outro uso dos braços: no colo, ela ampara molhos imensos de flores brancas. São beijos-da-mulata, as flores do esquecimento. Plantam-se junto aos cemitérios para que os mortos se esqueçam de que, em algum momento, foram viventes. O autocarro pára, acreditando que a rapariga queira embarcar de regresso à cidade.

— *Suba depressa* — ordena o cobrador.

— *Podem ir, eu fico por aqui* — explica a aparecida.

— *Fica aqui, no cemitério?* — interroga-se o motorista.

— *Eu vim semear estas flores. Tirei-as do cemitério e vou semeá-las por aí, vou semeá-las em toda a Vila Cacimba.*

1ª EDIÇÃO [2008] 6 reimpressões

ESTA OBRA FOI COMPOSTA PELA SPRESS EM GARAMOND E IMPRESSA
EM OFSETE PELA GRÁFICA BARTIRA SOBRE PAPEL PÓLEN SOFT DA
SUZANO PAPEL E CELULOSE PARA A EDITORA SCHWARCZ EM ABRIL DE 2016

A marca FSC® é a garantia de que a madeira utilizada na fabricação do papel deste livro provém de florestas que foram gerenciadas de maneira ambientalmente correta, socialmente justa e economicamente viável, além de outras fontes de origem controlada.